JN090819

最新最速

一般常識&時事問題の教科書

2027年度版

これさえあれば。

教育企画 Business Career Gate 代表

柳本新二

はじめに

2020年以降、世界は大きく変わりました。

新型コロナウイルス感染症の世界的流行をきっかけに、さまざまな生活様式の変化が起こり、テレワークやソーシャルディスタンスといった言葉が日常的になりました。2022年には、ロシアがウクライナに侵攻し、物流にも多大な影響を与えました。さらに、日本では数十年来の円安が到来。身近な生活用品の値上げなど、私たちの生活にも影響を感じると思います。

就活生の皆さんも、入学前に思い描いていたものとまったく違った大学生活を送られたのではないでしょうか。

オンラインでの遠隔授業が増えて大学に登校できないため、友人たちと会うこともままならず、アルバイトも減少するなど、不安に押しつぶされそうになったかもしれません。

就職活動も前年度までの状況があまり参考にならない現状です。この先の就職活動についても不明なことが多いですが、大きな会場での合同説明会という形式もまた戻ってくるかもしれません。反対に、直接対面ではなくオンラインだけで面接が進んでいくことも考えられます。

初めてのことばかりで不安だけが大きくなっている就活生も多いでしょう。

そして、この状況の中、不安な思いを抱いているのは皆さんだけではありません。
新しく若い世代を採用したいと考えている企業にとっても、初めてのことばかりで不安だらけなのです。

どうすれば、よい人材を確保できるのか?
画面を介した面接で志望者の雰囲気や志望度を感じ取れるのか?

でも、こんなときだからこそ、就活生の皆さんすべてにチャンスがあるといってもいいでしょう。

ただ不安がってばかりいるのではなく、与えられた時間を有効に活用して企業が採用したいと思う人間性・知力を育てましょう!

本書を手にされた皆さんの就職活動がよい結果を生むように全力で応援します。

著者しるす

CONTENTS

[テーマ❸]

社会・地理・歴史

[テーマ❹]

文化・スポーツ

[テーマ❺]

国語・文学・教養・マナー

本書の特徴と使い方

ポイントはココ！
テーマの中でも特に押さえておきたいポイントを要約しています。

問題
試験によく出る問題や、テーマの中でも「これさえ知っていれば大丈夫」といった問題を抜粋して掲載しています。

3 国際
条約・協定・宣言

ポイントはココ！
- 条約は国家間において書面により締結される
- 協定や宣言も広義の条約に含まれる
- 日本では内閣が条約の締結権を持っている

条約の歴史

条約とは
国家と国家、または国家と国際機関との間で結ばれる国際社会のルールのこと、書面の形で締結される

日米安全保障条約
日本における安全保障のため、アメリカ軍の日本駐留を認めたもの

世界人権宣言
すべての国、人民が達成すべき基本的人権についての宣言

ワシントン条約
野生動植物の種の国際取引が、それらの存続を脅かすことがないように規制した条約

近年は、環境や資源の保護のために制定される条約も多い。

14

問題

01 1854年にアメリカと締結し、下田と箱館（函館）の2港を開き、鎖国体制の崩壊となったのは（　　）条約。

02 1858年に日米間で締結された通商条約で、不平等条約ともいわれたのは（　　）条約。

03 第二次世界大戦において日本が受諾し、敗戦を確定させたのは（　　）宣言。

04 日本における安全保障にアメリカが関与し、アメリカ軍が日本国内に駐留できることをサンフランシスコ平和条約と同年に定めたのは（　　）条約。

05 欧州とアメリカの32か国が当事者となって締結された安全保障条約を（　　）条約といい、この同盟はNATOと呼ばれる。

06 1955年に西ドイツがNATOに加盟したことを受け、ソビエトを中心とした東側8か国で軍事同盟を結ぶもとになったのは（　　）条約。

07 絶滅の恐れがある野生動植物の保護、過度な野生動植物の種の採取・捕獲の抑制を目的としているのは（　　）条約。

解答・解説

01 日米和親
アメリカ側はペリーが調印した。これにより日本はアメリカに最恵国待遇を与えることになった。

02 日米修好通商
アメリカ側に領事裁判権を認め、日本には関税自主権がない。

03 ポツダム
1945年8月14日に宣言を受諾。

04 日米安全保障
1951年に結ばれたものは旧日米安全保障条約ともいわれ、1960年に新たな安全保障条約が締結されている。

05 北大西洋
この条約をもとに欧州とアメリカの32か国で軍事同盟が結ばれている。

06 ワルシャワ
8か国とはソ連、ポーランド、東ドイツ、チェコスロバキア、ハンガリー、ルーマニア、ブルガリア、アルバニア（1968年に脱退）。

07 ワシントン

15

図解
問題内容を理解するための基本的知識を、イラストにしてわかりやすく解説しています。

解答・解説
解答を補足する解説や、プラスアルファで知っておきたい情報を掲載しています。

見開き1テーマ構成、図解つきでわかりやすい！

本書は、就職試験に出やすい一般常識について**69のテーマ**に分けて掲載しています。各テーマごとに**特に試験に出やすい問題**を厳選して掲載しているため、1冊まるごと勉強すれば、一般常識の基本を学ぶことができます。また、1見開き1テーマ構成なので、図解でテーマの内容を理解しながらサクサク進められます。

※本書は2024年10月時点の情報をもとに作成しています。

[テーマ❶]

世界はさまざまな機関や制度をもとに動いています。
ここでは、国際間がどのようなしくみで
動いているのか、経済がどのように回っているのか、
そして各国がどのような歴史をたどってきたのかを
解説します。

国際

1 国連のしくみ

ポイントは
ココ!

- 国連（国際連合）の加盟国は **193 か国**
- 1945 年に設立され、**本部はニューヨーク**にある
- 日本は **1956 年に加盟**した

国連の主要機関

安全保障理事会は国際社会の平和と安全に主要な責任を負い、アメリカ、イギリス、フランス、ロシア、中国の5 か国の常任理事国と 10 か国の非常任理事国で構成。

問題

01 国連は**1945年**に（ ① ）に基づき発足し、本部は（ ② ）にある。

02 **全加盟国が1票**を持ち参加する国連の中心機関を（　　）という。

03 （ ① ）は国際社会の**平和と安全**に責任を負い、（ ② ）か国の常任理事国と（ ③ ）か国の非常任理事国で構成される。

04 常任理事国は、アメリカ、（　　）、フランス、ロシア、中国である。

05 安全保障理事会の議決は常任理事国の**1か国でも**反対すると否決される。これを（　　）という。

06 日本は国連に（　　）年に加盟した。

07 国際紛争を平和的に解決することを目的とした**国連の司法機関**を（　　）という。

解答・解説

01 ①国連憲章
②ニューヨーク
国連憲章（国際連合憲章）は、**サンフランシスコ会議**で署名された。

02 総会
総会の決議は**法的拘束力**を持たない（討議・勧告のみ）。

03 ①安全保障理事会
②5
③10
非常任理事国の任期は**2年**。

04 イギリス
常任理事国とは、国際連合の安全保障理事会の理事国の**地位を恒久的**に持つ国のこと。

05 拒否権
冷戦時代は**アメリカとソ連**が互いに拒否権を発動し、安全保障理事会の機能がたびたび麻痺した。

06 1956

07 国際司法裁判所
オランダのハーグに本部を置いている。国際司法裁判所の意見は、国際法の発展に大きな影響を与え、**世界法廷**とも呼ばれている。

2 国際

国際機関の役割

ポイントはココ!

- 国際機関とは**さまざまな国が同じ目的をもとに活動する**機関のこと
- **補助機関**、**専門機関**、**関連機関**に分けられる
- 専門機関は国連と**連携協定**を締結している

国際機関の種類

専門機関

世界保健機関：WHO

保健衛生問題のための専門機関

[その他]
- **国際通貨基金**：IMF
- **国際労働機関**：ILO
- **国際連合食糧農業機関**：FAO
- **国際連合教育科学文化機関**：UNESCO（ユネスコ）
- **国際連合工業開発機関**：UNIDO

など

補助機関

国際連合児童基金：UNICEF（ユニセフ）

子供の保健・教育・福祉に必要な支援を行う

[その他]
- **国際連合貿易開発会議**：UNCTAD
- **国際連合難民高等弁務官事務所**：UNHCR
- **国際連合世界食糧計画**：WFP
- **国際連合パレスチナ難民救済事業機関**：UNRWA
- **国際連合大学**：UNU

など

関連機関

世界貿易機関：WTO

自由貿易の促進を目的としている

[その他]
- **国際原子力機関**：IAEA

など

専門機関の中でもIMF、ILO、WHO、FAO、UNESCOの規模が大きい。また、関連機関は国連と専門機関としての連携協定を締結していない。

問題

01 **感染症対策**や人間の健康を目的として設立された国連の専門機関は（　　　）である。

02 **UNICEF** は途上国や戦争・内乱などで被害を受けた国の（　　　）を中心に行う。

03 **UNHCR** は（　　　）に関する諸問題の解決を目的としている。

04 **ILO** は世界の（　　　）の労働条件と生活水準の改善を目的としている。

05 （　　　）は国際金融、**為替の安定**を目的として設立された。

06 UNESCO は教育、（　　　）、文化の発展と推進を目的としている。

07 FAO は世界の（　　　）の改善と生活向上を通して、飢餓の撲滅を達成するのを目的としている。

08 （　　　）は原子力の平和的利用の促進、軍事利用の防止を目的として設立された。

解答・解説

01 **世界保健機関（WHO）**
World Health Organization の略。本部はスイスの**ジュネーブ**。1948 年設立。4 月 7 日は世界保健デー。

02 **子供の支援**
保健、教育、福祉などに必要な援助活動を行っている。

03 **難民**
UNHCR は 1950 年に設立された。本部はスイスの**ジュネーブ**にある。

04 **労働者**
1919 年、ベルサイユ条約によって国際連盟と提携する機関として設立。1946 年、国連との協定により最初の専門機関となる。

05 **国際通貨基金（IMF）**
International Monetary Fund の略。本部はアメリカのワシントン D.C. にある。

06 **科学**
1946 年に設立された。

07 **食糧生産と分配**
1945 年に設立された。本部はイタリアのローマにある。

08 **国際原子力機関（IAEA）**
International Atomic Energy Agency の略。**1957 年**に発足した。オーストリアのウィーンに本部がある。

3 国際

条約・協定・宣言

ポイントはココ!

- 条約は国家間において**書面により締結**される
- **協定や宣言**も広義の条約に含まれる
- 日本では**内閣**が条約の締結権を持っている

条約の歴史

条約とは

国家と国家、または国家と国際機関との間で結ばれる国際社会のルールのこと。書面の形で締結される

日米安全保障条約

日本における安全保障のため、アメリカ軍の日本駐留を認めたもの

世界人権宣言

すべての国、人民が達成すべき基本的人権についての宣言

ワシントン条約

野生動植物の種の国際取引が、それらの存続を脅かすことがないように規制した条約

近年は、環境や資源の保護のために制定される条約も多い。

問題	解答・解説
01 1854年にアメリカと締結し、**下田と箱館（函館）**の2港を開き、鎖国体制の崩壊となったのは（　　）条約。	**01** **日米和親** アメリカ側は**ペリー**が調印した。これにより日本はアメリカに最恵国待遇を与えることになった。
02 1858年に日米間で締結された通商条約で、**不平等条約**ともいわれたのは（　　）条約。	**02** **日米修好通商** アメリカ側に領事裁判権を認め、日本には**関税自主権**がない。
03 第二次世界大戦において日本が受諾し、**敗戦を確定**させたのは（　　）宣言。	**03** **ポツダム** **1945年8月14日**に宣言を受諾。
04 日本における安全保障にアメリカが関与し、アメリカ軍が日本国内に駐留できることを**サンフランシスコ平和条約**と同年に定めたのは（　　）条約。	**04** **日米安全保障** 1951年に結ばれたものは旧日米安全保障条約ともいわれ、1960年に新たな安全保障条約が締結されている。
05 欧州とアメリカの32か国が当事者となって締結された安全保障条約を（　　）条約といい、この同盟は**NATO**と呼ばれる。	**05** **北大西洋** この条約をもとに欧州とアメリカの32か国で軍事同盟が結ばれている。
06 1955年に西ドイツがNATOに加盟したことを受け、**ソビエトを中心とした東側8か国**で軍事同盟を結ぶもとになったのは（　　）条約。	**06** **ワルシャワ** 8か国とはソ連、ポーランド、東ドイツ、チェコスロバキア、ハンガリー、ルーマニア、ブルガリア、アルバニア（1968年に脱退）。
07 絶滅の恐れがある**野生動植物の保護**、過度な野生動植物の種の採取・捕獲の抑制を目的としているのは（　　）条約。	**07** **ワシントン**

4 国際
アメリカ

- 同時多発テロは**2001年9月11日**に起きた
- **NATO**の責務は加盟国の領土および国民を防衛すること
- 2017年、アメリカは**TPPから離脱**した

アメリカ各地の出来事

大規模な山火事の要因の１つは気候変動ともいわれている。また、アメリカが関与した他国での出来事も知っておくことが大切。

問題	解答・解説
01 米国で**同時多発テロ**が起きた日を西暦で答えよ。	**01** 2001年9月11日 **ワールドトレードセンター**に飛行機が激突した。
02 北アメリカ・ヨーロッパ諸国で結成される**軍事同盟**を（　　）という。	**02** 北大西洋条約機構（NATO） North Atlantic Treaty Organizationの略。「集団防衛」「危機管理」「協調的安全保障」が中核的任務。
03 **2017年**に**米国が離脱**した環太平洋地域の国々による経済の自由化を目的とした、**経済連携協定**の略称は（　　）である。	**03** TPP協定 TPPはTrans-Pacific Partnershipの略。環太平洋パートナーシップ協定。12か国で結ぶ経済連携協定。
04 2018年にアメリカが（　　）法301条に基づいて**中国産品**1,300品目に高額関税をかけたことから米中貿易戦争と呼ばれる対立が続く。	**04** アメリカ通商 不公正貿易に対して**一方的な制裁**を認めるもの。
05 **銃乱射事件**が起こるごとに銃規制が求められるが、規制強化を避けるためにはたらきかける団体の略称は（　　）である。	**05** NRA National Rifle Association of Americaの略。全米ライフル協会。ニューヨーク州をはじめ国内でも反発が高まっている。
06 2023年3月から5月にかけて、（ ① ）・（ ② ）・（ ③ ）の3つの銀行が経営破綻した。これを受けたFRB（連邦準備制度理事会）は金融機関に対する最も厳しい規制の対象を拡大するとした。	**06** ①シリコンバレーバンク ②シグネチャー・バンク ③ファースト・リパブリック・バンク 金融危機を避けるためにアメリカ財務省は本来ならば25万ドルまでしか保護されない預金を全額保護すると発表。
07 **アメリカ・メキシコ・カナダ**による自由貿易協定の略称は（ ① ）、**アルゼンチン・ブラジル・ウルグアイ・パラグアイ**で発足した関税同盟および共同市場を（ ② ）という。	**07** ①USMCA ②メルコスール 北米3か国が加盟する**NAFTA（北米自由貿易協定）**は、2020年にUSMCA（アメリカ・メキシコ・カナダ協定）として新たに発行された。

5 国際 ヨーロッパ

- 2012年EU（欧州連合）は**ノーベル平和賞**を受賞
- イギリスはEUを**最初に離脱**した加盟国
- 東ヨーロッパの**旧ソ連諸国**では、今も紛争が続いている国がある

ヨーロッパ各地の出来事

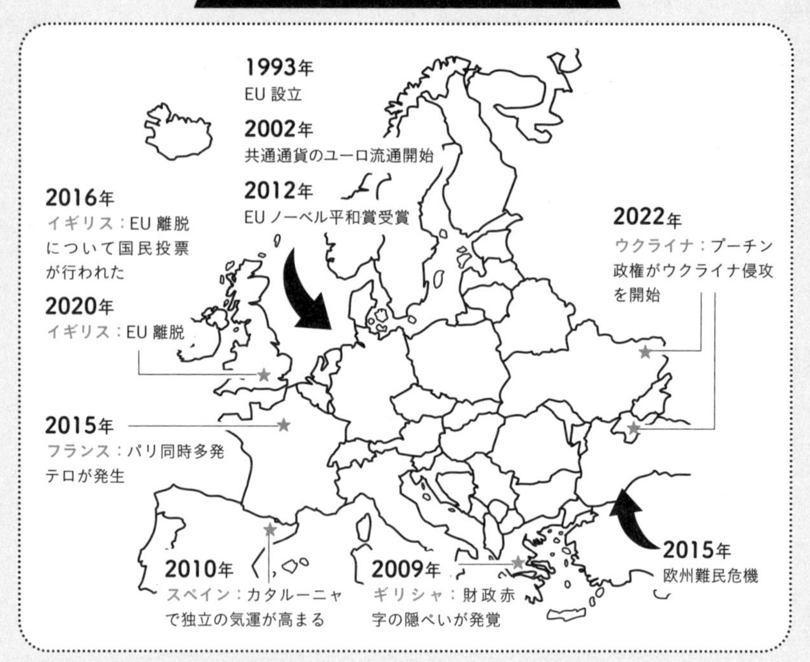

現在27か国が加盟するEUの前身は1967年に欧州石炭鉄鋼共同体・欧州経済共同体・欧州原子力共同体が1つになった欧州共同体（EC）である。

問題	解答・解説
01 EU は前身の時代も含め、「平和と和解、民主主義と人権の向上に貢献してきた」と（　　）を受賞した。	**01** ノーベル平和賞 2012 年受賞。第二次世界大戦後の欧州統合、経済的結束を促進したことが評価された。
02 1999 年に（ ① ）同盟が発足し、2002 年より**共通通貨**の（ ② ）に移行した。	**02** ①経済通貨 ②ユーロ
03 ヨーロッパでは人やモノの行き来を**自由化**する（　　）協定が結ばれている。	**03** シェンゲン 2024 年現在、EU 加盟国のうち 25 か国と EFTA 4 か国の計 29 か国に適用されている。
04 （ ① ）はロシアのウクライナ侵攻を踏まえて、2022 年 5 月にフィンランドとともに NATO 加盟を申請。2024 年 3 月に（ ② ）か国目の加盟国となった。	**04** ①スウェーデン ②32 フィンランドは 2023 年 4 月に 31 か国目の加盟国となった。
05 G7 はロシア産原油の取引価格に上限を設ける制裁を開始したが、（　　）はウクライナ侵攻以降、ロシア産原油の輸入が増加している。	**05** インド インドは G7 と良好な関係であるが、ロシア制裁には加わっていない。
06 2015 年 11 月、（　　）によりフランス、パリの複数箇所で**同時多発テロ**が起き、100 人以上の死者を出した。	**06** イスラム国 イスラム過激派組織であり **ISIL** とも呼ぶ。
07 定期的に起こり、比較的穏やかな爆発をともなう噴火で、噴火様式の名前にもなった**イタリア南部にある火山島**を（　　）島という。	**07** ストロンボリ 比較的粘性の低い玄武岩質で、マグマが噴出するときに爆発をくり返して噴火する形式をストロンボリ式噴火という。

6 国際
アジア

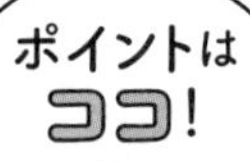

- アフガニスタン政権が崩壊
- イスラム教の聖地はエルサレム
- 西アジアでは紛争が多数起こっている

アジア各地の出来事

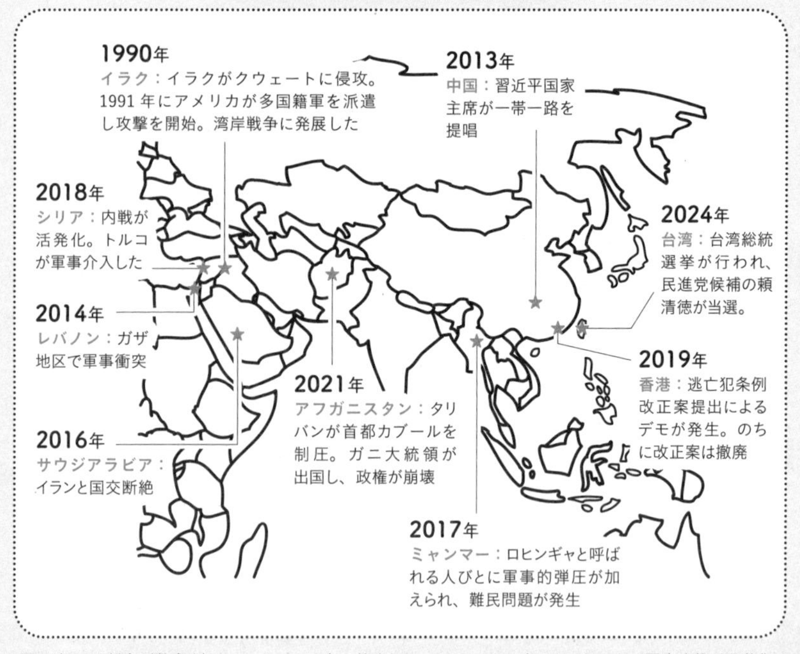

西アジアでは紛争が数多く起きている。2016年に衝突したアルメニアとアゼルバイジャンでは軍事攻撃が過激化。停戦合意に違反して戦闘をくり返している。

問題

01 **イスラエル**が**首都**と主張し、ユダヤ教・（　①　）教・**イスラム教の聖地**となる都市は（　②　）である。

02 中国の習近平国家主席が提唱した**広域経済圏構想**を（　　　）という。

03 **東南アジア10か国**の経済、社会、政治、安全保障、文化に関する地域協力機構の略称は（　①　）、**環太平洋地域の21の国と地域**が参加する経済協力の枠組みの略称を（　②　）という。

04 **ミャンマー**では、不法移民とみなされて迫害を受けている少数民族を（　　　）という。

05 2010年から2012年にかけて、中東や北アフリカで起こった大規模な政治変動を（　　　）という。

06 2021年、アフガニスタンで政府軍と戦闘をくり返してきた（　　　）が首都を制圧した。

07 （　①　）が実効支配している台湾地区の主権は（　②　）にあると主張し続ける「二つの中国」の問題を台湾問題という。

解答・解説

01 ①キリスト、②エルサレム
国際的には首都として認められていないが、米国が**在イスラエル大使館**をエルサレムに移転させ非難を受けた。

02 一帯一路
陸路のシルクロード経済ベルトと**海路**の21世紀海上シルクロードの交易路の整備を促進する構想。

03 ①ASEAN、②APEC
ASEAN（Association of South - East Asian Nations）の正式名称は東南アジア諸国連合、APEC（Asia-Pacific Economic Cooperation）の正式名称はアジア太平洋経済協力。

04 ロヒンギャ
19世紀以降移住をくり返している。

05 アラブの春

06 タリバン
アメリカ軍が撤退を進めるなかの出来事だった。事実上の**政権崩壊**に、国中が混乱した。

07 ①中華民国
②中華人民共和国

7 国際 アフリカ

- 豊富な天然資源を持ち、人口も増加を続ける
- 西アフリカを中心にエボラ出血熱が流行
- かつてアパルトヘイト政策がとられていた

アフリカ各地の出来事・産業主要国

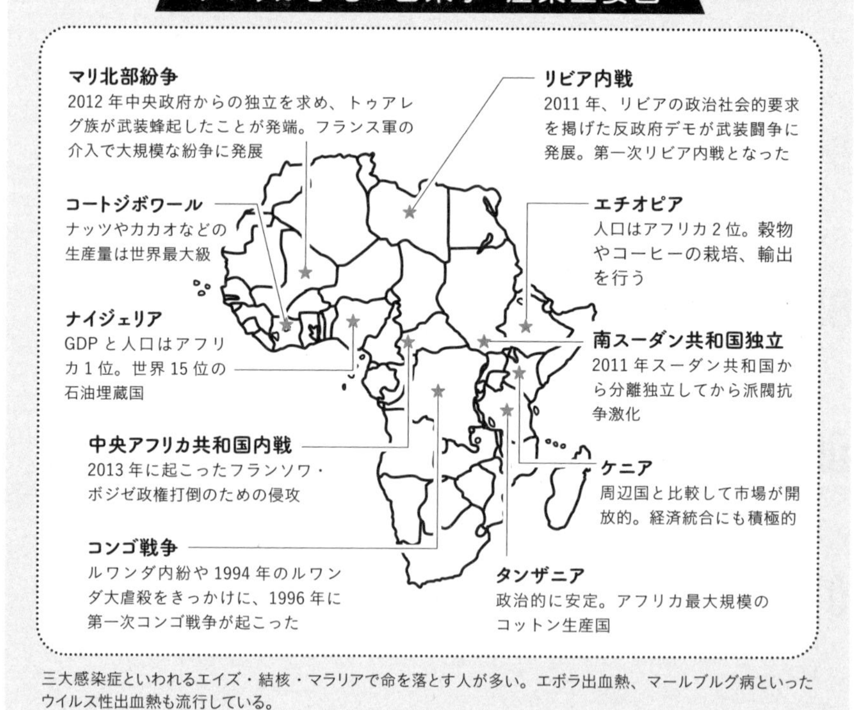

三大感染症といわれるエイズ・結核・マラリアで命を落とす人が多い。エボラ出血熱、マールブルグ病といったウイルス性出血熱も流行している。

問題	解答・解説
01 アフリカにおけるすべての独立国が加盟している**国家統合体**の略称を（　　）という。	**01** AU African Union の略。アフリカ連合。**55 の国・地域**からなる。本部はエチオピアの首都**アディス・アベバ**。
02 2014 年から 2016 年ごろに**西アフリカ**を中心に流行した致死率が非常に高いウイルス性の感染症は、（　　）である。	**02** エボラ出血熱 2018 年以降もコンゴなどでアウトブレイク（突発的発生）を起こす。
03 1994 年の（ ① ）を発端に第一次コンゴ戦争が起こり、（ ② ）が再編されて**コンゴ民主共和国**となった。	**03** ①ルワンダ大虐殺 ②ザイール
04 南アフリカやコンゴで世界の半分以上の生産量を占める**プラチナ**などの金属を（　　）という。	**04** レアメタル **希少金属**。地球上において流通量や使用量が少ない希少な金属のこと。
05 （　　）は**アフリカ 1 位の人口**と **GDP** であり、石油埋蔵量は世界 15 位である。	**05** ナイジェリア 西アフリカの連邦制共和国。人口は約 2 億 3 千万人でアフリカ最大の国。人口は世界第 6 位。
06 （ ① ）は高い産業水準を持ち、**アフリカの拠点**として認知されているが、冷戦時代は**人種主義**による（ ② ）体制のため国際社会から孤立した。	**06** ①南アフリカ ②アパルトヘイト アパルトヘイトは**白人と有色人種を差別する人種隔離政策**のこと。1992 年まで続いた。
07 （ ① ）はアフリカ最大規模の**コットン生産国**であり、東アフリカ唯一の（ ② ）埋蔵国である。	**07** ①タンザニア ②天然ガス

8 国際 国際経済

- 自由貿易協定は **FTA**、経済連携協定は **EPA**
- **GATT** は一般協定、**WTO** は国際機関
- 発展途上国の作物や製品を適正価格で購入・輸入するしくみを**フェアトレード**という

代表的な経済協同体・協定

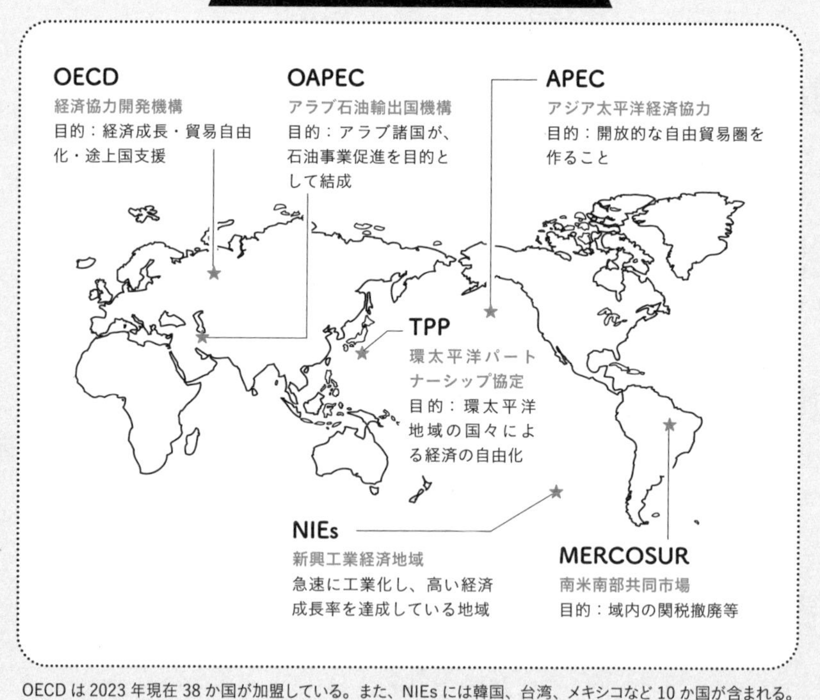

OECD は 2023 年現在 38 か国が加盟している。また、NIEs には韓国、台湾、メキシコなど 10 か国が含まれる。

問題	解答・解説
01 少数先進国と開発途上国との間に起こる**経済格差**に由来する問題を（　　）という。	**01** 南北問題 1960年以降、先進国と146の開発途上国・地域の間に存在する格差。国際分業により生じた。
02 先進国が中心となり、加盟国の経済発展や貿易の拡大を目的として（ ① ）が作られた。先進国による開発途上国への**経済・技術的支援**を（ ② ）という。	**02** ①経済協力開発機構 ②政府開発援助 経済協力開発機構はOECD、政府開発援助はODAと略される。
03 開発途上国の作物・製品を**適正な価格**で**継続的**に購入・輸入して、生産者の生活向上を支えるしくみを（　　）という。	**03** フェアトレード 自然素材や無農薬食品など、**環境に配慮した**製品が扱われている。
04 **OPEC**とは別に**アラブ産油国**の連携強化のために設立された国際機構の略称は（　　）。	**04** OAPEC Organization of Arab Petroleum Exporting Countriesの略。**アラブ石油輸出国機構**。
05 **関税および貿易に関する一般協定の**略称を（ ① ）というが、強制力はない。また、**国際機関**である（ ② ）の設立によって、加盟国はその決定を守る義務がある。	**05** ①GATT、②WTO GATTの正式表記はGeneral Agreement on Tariffs and Trade。WTO（World Trade Organization）の正式名称は世界貿易機関。

次の機関や協定の略称を下の語群から選べ。

問題	解答・解説
06 ①南米南部共同市場 ②環太平洋パートナーシップ協定 ③アジア太平洋経済協力 ④新興工業経済地域 **語群** APEC、MERCOSUR、NIEs、TPP	**06** ①MERCOSUR ②TPP ③APEC ④NIEs 正式表記は①Mercado Común del Sur、②Trans-Pacific Partnership Agreement、③Asia-Pacific Economic Cooperation、④Newly Industrializing Economies。

おさらいしよう!

実力テスト

問題

空欄に入る語句を答えよ。

01 1945 年に設立された国際連合の本部は（　　）にある。

02 国連の専門機関（　　）は感染症対策や人間の健康を目的とする。

03 （　　）は自由貿易の促進を目的とする。

04 アメリカや欧州 32 か国が結ぶ軍事同盟を（　　）という。

05 2017 年に環太平洋パートナーシップ(TPP)を離脱した国は(　　)である。

06 EU 諸国の共通通貨は 2002 年より（　　）である。

07 イスラム教の聖地は（　　）である。

08 1992 年まで続いた白人と有色人種を差別する隔離政策のことを（　　）という。

09 （　　）とは発展途上国の作物や製品を適正な価格で購入することである。

10 アジア太平洋の 21 の国と地域が参加する経済協力の枠組みを（　　）という。

解答

01	02	03	04	05
ニューヨーク ➡ P10	世界保健機関（WHO） ➡ P12	世界貿易機関（WTO） ➡ P12	北大西洋条約機構（NATO） ➡ P14	アメリカ ➡ P16
06	**07**	**08**	**09**	**10**
ユーロ ➡ P18	エルサレム ➡ P20	アパルトヘイト ➡ P22	フェアトレード ➡ P24	アジア太平洋経済協力（APEC） ➡ P24

[テーマ❷]

政治・経済

政治と経済ってよくわからない。
そう感じている人が増えています。
しかし、社会人にとって政治・経済の知識は
必ず持っていたい知識の1つ。
ここでは、日本政治・経済のしくみを解説します。

1 政治・経済
日本国憲法

ポイントはココ!

- 日本国憲法の三原則とは**「国民主権」「基本的人権の尊重」「平和主義」**
- 国民の三大義務とは**「教育を受けさせる義務」「納税の義務」「勤労の義務」**

日本国憲法の三原則

日本国憲法第1条において、天皇は日本国の象徴であり、日本国民統合の象徴であるとした。また、第9条では、国際平和を希求し、戦争と、武力による威嚇または行使は永久に放棄するとした。

問題	解答・解説
01 日本国憲法の**公布日**は（ ① ）年11月3日。**施行日**は（ ② ）年5月3日である。	**01** **①1946、②1947** 11月3日を文化の日、5月3日を憲法記念日としている。
02 日本国憲法における**三原則**とは国民主権と（ ）と平和主義である。	**02** **基本的人権の尊重** 基本的人権の尊重には、**自由権、平等権、社会権、参政権、請求権**といった権利がある。
03 日本国憲法における**天皇の位置づけ**は（ ）である。	**03** **象徴** 国事に関する行為のみを行い、**国政には関与しない**。また、すべての行為には**内閣**の助言と承認を必要とする。
04 日本国憲法に保障される自由権の**3つの自由**とは、精神の自由と（ ）と身体の自由である。	**04** **経済の自由** **職業選択の自由、居住・移転の自由、財産権**が含まれる。
05 日本の平和主義、武力の行使、**戦争の放棄**は第（ ）条に明記されている。	**05** **9** 第1項で**戦争の放棄**、第2項で**戦力の不保持と交戦権の否認を規定**している。
06 **国民の三大義務**は、教育を受けさせる義務、（ ）の義務、勤労の義務である。	**06** **納税** 第30条では、「国民は、法律の定めるところにより、納税の義務を負ふ」とされている。
07 日本国憲法の第（ ）条において「すべて国民は、健康で文化的な最低限度の生活を営む権利を有する。」とされる。	**07** **25** 社会権の1つである**生存権と、国の社会的使命**について規定している。

政治・経済

2 司法・裁判・法律

ポイントはココ！

- すべての司法権は**裁判所に属する**
- 法令には**優先順位**がある
- 六法とは**憲法・民法・刑法・商法・民事訴訟法・刑事訴訟法**

三審制と法令の優先順位

●三審制のしくみ

●日本における法令の優先順位

2009年より、国民が地方裁判所で行われる刑事裁判に参加する裁判員制度が始まった。また、裁判所は法律などが憲法に適合しているかを審査する違憲立法審査権を持っている。

問題	解答・解説

01 裁判において**合計3回**まで審理を受けられる制度のことを（ ① ）という。また、一審の判決に不服で二審を求めることを（ ② ）、二審の判決に不服で三審を求めることを（ ③ ）という。

01 ①三審制、②控訴、③上告

日本国憲法第76条に、裁判所や裁判官についての職権が示されている。

02 2009年から始まった**国民が司法に参加する**制度を（ ）制度と呼ぶ。

02 裁判員

6名の裁判員と3名の裁判官による合議制で進める。

03 高等裁判所は全国に（ ）か所ある。

03 8

札幌・仙台・東京・名古屋・大阪・広島・高松・福岡。地方裁判所・家庭裁判所は各**50**か所。簡易裁判所は**438**か所。

04 **最高裁判所の長官**は（ ① ）によって指名され、（ ② ）によって任命される。

04 ①内閣、②天皇

最高裁判所の裁判官は**国民審査**を受ける。

05 判決が確定した事件について、相当の事由が存在する場合、**裁判の審理をやり直す**よう申し立てることを（ ）という。

05 再審請求

06 **国会の議決**によって制定される法令を（ ① ）という。（ ② ）は**内閣**によって制定される。

06 ①法律、②政令

国会の議決とは、参議院または衆議院において法律とは別の本会議で可決される決議のこと。

07 六法において、国民を主体として、**生活に関する法律の基本**を定めたものを（ ）という。

07 民法

国や公共団体などを規律するものを**公法**といい、憲法や刑法が該当する。日本国民について定めたものを**私法**といい、民法や商法が該当する。

3 政治・経済
国会と選挙のしくみ

- 国会は国の唯一の**立法機関**
- **衆議院と参議院**の二院制
- 国会には**通常国会、臨時国会、特別国会、参議院の緊急集会**がある

衆議院と参議院のしくみ

衆議院		参議院
4年	任期	6年（3年ごとに半数改選）
18歳以上※	選挙権	18歳以上※
25歳以上	被選挙権	30歳以上
465人	定数	248人
小選挙区：289人 比例代表：176人	選挙区	選挙区：148人 比例代表：100人
あり	解散	なし

※2022年4月1日より成年年齢が18歳に引き下げられ、投票できるようになった。

選挙の際、衆議院の小選挙区制、参議院の選挙区選挙では候補者名を、比例代表制における衆議院は政党名（拘束名簿式）、参議院は候補者もしくは政党名（非拘束名簿式）を記入する。

問題 | 解答・解説

01 国会は（　①　）における**最高機関**であり、国の唯一の（　②　）機関である。

01 ①国権、②立法
三権分立は権力の集中による濫用を防ぐためのシステム。

02 **通常国会**は年（　①　）回行われ、その会期は（　②　）日である。

02 ①1、②150
毎年1月に召集される。

03 臨時国会は衆議院または参議院のいずれかの議員総数の（　　）分の１以上の要求があったときに内閣が召集決定する。

03 4
臨時国会は災害対策などの臨時に国会が必要な際に内閣が召集する。

04 両議院は、**総議員**の（　　）分の１以上の出席がなければ、議事を開き議決することができない。

04 3
日本国憲法第56条1項により定められている。

05 国会の**本会議の決議**には（　①　）議員の（　②　）の賛成が必要である。

05 ①出席、②過半数
総議員の過半数ではない。原則として「憲法改正の発議」などは**総議員の3分の2以上**の賛成が必要となる。

06 **衆議院が解散**すると（　①　）日以内に**総選挙**が行われ、そこから（　②　）日以内に（　③　）国会が召集される。

06 ①40、②30、③特別
任期満了にともなう衆議院の総選挙後の国会は**臨時国会**となる。

07 **1選挙区について議員1人**を選ぶ選挙制度を（　①　）制といい、**各政党の得票数に比例**した議席を配分する方法を（　②　）制という。

07 ①小選挙区、②比例代表
参議院選挙の比例代表制は**非拘束名簿式**なので、個人票と政党票の合算から**ドント式**によって議席を配分する。

4 政治・経済
内閣と行政のしくみ

- 三権分立において、司法は**裁判所**、立法は**国会**、行政は**内閣**が担当する
- **国会が定めた予算や法律**に基づき国政を行う
- 内閣は**内閣総理大臣と国務大臣**で組織される

三権分立とは

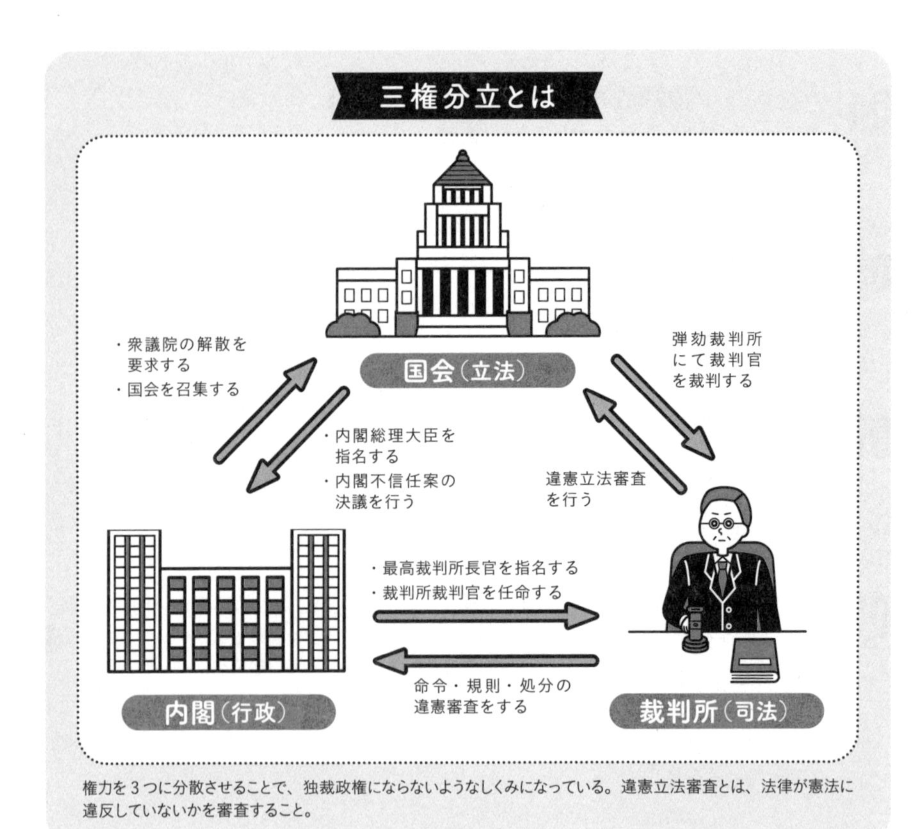

権力を3つに分散させることで、独裁政権にならないようなしくみになっている。違憲立法審査とは、法律が憲法に違反していないかを審査すること。

問題	解答・解説
01 **行政の最高機関**は（ ① ）であり、（ ② ）と（ ③ ）から構成される。	**01** **①内閣、②内閣総理大臣、③国務大臣** 内閣法により国務大臣の定員は原則14人以内とし、特別に必要がある場合は3人を限度としてその数を増加する。
02 **内閣総理大臣**は国会によって指名され、（　　）によって任命される。	**02** **天皇** 内閣総理大臣は、国会議員の中から**国会の議決で指名**される。
03 **国務大臣**は（　　）によって任命され、また任意に罷免（ひめん）される。これについては天皇が認証する。	**03** **内閣総理大臣** 国務大臣の**過半数**は国会議員。国務大臣は**14人以内**をもって組織する（問題01の解説参照）。
04 内閣の意思決定を行うために、**すべての大臣に参加義務**がある会議のことを（　　）という。	**04** **閣議** 議事録は非公開。閣議には**定例閣議・臨時閣議・持ち回り閣議**の3種類がある。
05 **衆議院**による内閣不信任決議案の可決・信任決議案の否決の後、内閣が（ ① ）日以内に衆議院の（ ② ）を行わないと**内閣総辞職**となる。	**05** **①10、②解散** 内閣不信任決議案は、**衆議院で51人以上の賛同**があると発議できる。衆議院の**過半数以上の賛成**で内閣不信任決議となり、**総辞職**となる。
06 国務大臣を補佐し、政策の企画などの**政務を担当**する特別職の国家公務員を（ ① ）といい、また、**省務・府務を整理し機関の事務を監督**する官僚におけるトップを（ ② ）という。	**06** **①大臣政務官** **②事務次官** 大臣政務官は内閣総辞職とともに地位を失うが、事務次官は失わない。
07 日本の行政機関として（ ① ）、（ ② ）、庁、行政委員会などがある。	**07** **①府、②省** **1府11省2庁**は内閣に属するが、**会計検査院**は唯一内閣に属さない。

政治・経済

5 地方自治

- **地方自治**は、**団体自治**（国から独立した地域社会）と**住民自治**（住民の意思）の２つからなる
- 地方自治には**執行機関**（行政）と**議決機関**（議会）がある
- 行政と議会の代表を住民が選ぶ**二元代表制**

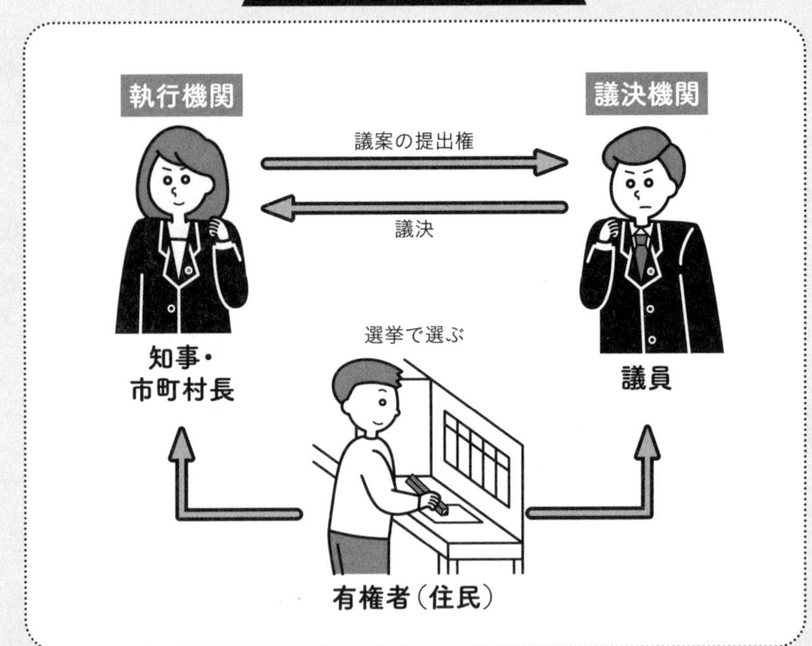

地方自治体は、法律の範囲内であれば自由に条例を制定でき、罰則も設けられる。首長は議会に対する解散指示を、議会は首長に対して不信任決議を行える。

問題

01 住民が、選挙で執行機関と議決機関の**2種類の代表**を選ぶことを（　　）という。

02 選挙権は（ ① ）歳以上の住民に与えられ、**議員の被選挙権**（議員になるための資格）は（ ② ）歳以上の住民に与えられる。

03 国会が特定の地方公共団体に特別法を制定する場合には、（ ① ）によって（ ② ）の同意を得なければならない。

04 地方公共団体は**国から独立**して自らの政治を行う（ ① ）と**地域住民の意思**によって運営される（ ② ）の理念から、法律の範囲内で自由に条例を制定することができる。

05 **地方自治体の歳入**の中心は地方税であるが、不足する場合は国から配分される（ ① ）や（ ② ）で補う。

06 住民が**一定数以上の署名**を集めると、条例の制定・改廃、首長・議員の解職などを求めることができる。これを（　　）権という。

解答・解説

01 二元代表制
国会は議院内閣制である。

02 ①18、②25
衆議院の被選挙権：**満25歳以上**
参議院の被選挙権：**満30歳以上**
都道府県知事の被選挙権：**満30歳以上**

03 ①住民投票、②過半数
憲法第8章95条に定められる。

04 ①団体自治、②住民自治
懲役や罰金といった罰則も設けることができる。普通地方公共団体は都道府県と市町村、特別地方公共団体は特別区、財産区がある。福祉行政に係る施策や事業を実施する。

05 ①地方交付税交付金
②国庫支出金
地方交付税交付金は**使途を指定されない**が、国庫支出金は**使途を指定される**。

06 直接請求
条例の制定・改廃は有権者の**50分の1以上**、首長・議員の解職は有権者の**3分の1以上**の署名が必要。

6 政治・経済
経済の歴史

ポイントはココ！

- 1950年の朝鮮戦争による特需から**高度経済成長期**へ。1973年、**オイルショック**で終了
- 1986年から**バブル経済**突入。崩壊は1990年代初頭
- 1990年代初頭から**平成不況**（失われた10年）

リーマンショックとその影響

アメリカで住宅バブルが崩壊

2008年 リーマン・ブラザーズが経営破綻

世界中の景気が悪化

日本	アメリカ	ヨーロッパ
・株価の暴落 ・戦後最悪のマイナス成長	・大手金融機関が公的管理に ・自動車メーカーが破綻	・多くの借金を抱えていたギリシャが財政破綻

アメリカの投資銀行であるリーマン・ブラザーズの経営破綻をきっかけに起きた、世界規模の金融危機のことをリーマンショックと呼ぶ。日本では雇い止めや完全失業率の上昇が起きた。

問題	解答・解説
01 経済規模を表す指標として、GNPや（　①　）に、海外からの純所得を加えた（　②　）などが用いられる。	**01** ①GDP、②GNI GNP（Gross National Product）は**国民総生産**、GDP（Gross Domestic Product）は**国内総生産**、GNI（Gross National Income）は**国民総所得**。
02 三種の神器といわれる（　①　）・（　②　）・（　③　）、**3つの家電製品**が急速に普及し、1960年に国民所得倍増計画が発表されたころを（　④　）景気と呼ぶ。	**02** ①冷蔵庫、②洗濯機、③白黒テレビ、④岩戸 1955～73年までの19年間、日本は平均10%もの経済成長を遂げた。これを**高度経済成長**という。
03 **竹下内閣**によって制定・施行され、商品や製品の販売やサービスに公平に課税する税を（　　　）という。	**03** 消費税 **当初の税率は3%**。竹下登は、1985年に行われた、為替レート安定化に関するプラザ合意にも蔵相として出席している。
04 1990年の総量規制を発端として急激に日本経済が悪化したことを（　　　）という。	**04** バブル崩壊 崩壊前の1986年～90年代初頭までの期間を**バブル景気**と呼ぶ。
05 **アメリカの投資銀行**であるリーマン・ブラザーズが2008年に経営破綻したことをきっかけに起きた世界規模の金融危機を（　　　）といい、**日経平均株価も暴落**した。	**05** リーマンショック **サブプライムローン問題**を発端にリーマン・ブラザーズが経営破綻した。
06 第二次**安倍内閣**が打ち出した大胆な（　①　）・機動的な（　②　）・民間投資を喚起する（　③　）を三本の矢とする政策を（　④　）という。	**06** ①金融政策 ②財政政策 ③成長戦略 ④アベノミクス

7 政治・経済
市場経済

- 価格は**需要と供給のバランス**で決まる
- 公正で自由な競争をするために**独占禁止法**がある
- **公正取引委員会**によって市場は監視されている

市場経済における需要と供給

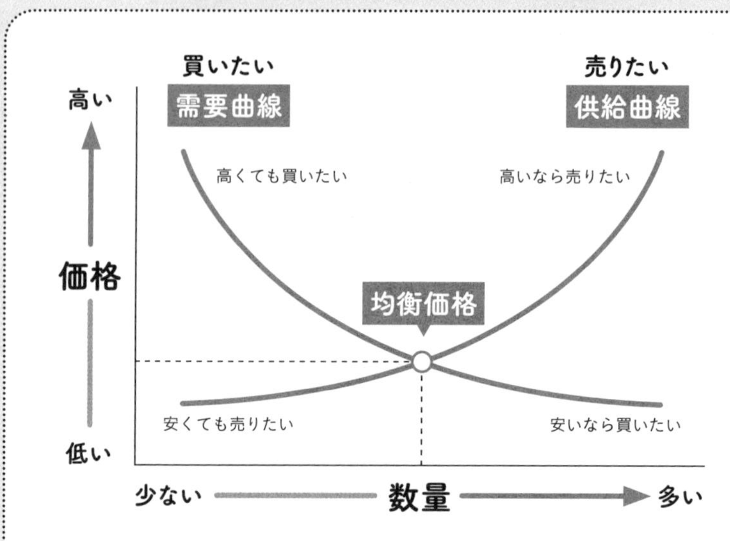

- 供給が需要を上回る＝商品が余る（供給超過）＝商品の価値が下がる
- 需要が供給を上回る＝商品が不足（需要超過）＝商品の価値が上がる

需要と供給の均衡がとれて適正な価格に落ち着くことを「市場原理・価格の自動調節機能」といい、落ち着いた価格を「均衡価格」という。独占や寡占があると、この機能はうまくはたらかなくなる。

問題	解答・解説
01 市場において**1社が支配**することを（ ① ）といい、少数の企業だけで支配することを（ ② ）という。これらは価格の不当な上昇を引き起こす。	**01** **①独占、②寡占** 寡占も広義では独占ととらえることもあり、独占の形態には**カルテル、トラスト、コンツェルン**の3つがある。
02 公正かつ**自由な競争を促進**するために（ ① ）が制定されており、（ ② ）が市場の監視を行っている。	**02** **①独占禁止法** **②公正取引委員会** 独占禁止法は**「経済の憲法」**とも呼ばれている。公正取引委員会は行政機関の1つ。
03 **物価が上がり**続け、結果として**貨幣価値が下がる**ことを（ ① ）といい、**物価が下がり**続け、結果として**貨幣価値が上がる**ことを（ ② ）という。	**03** **①インフレーション** **②デフレーション** 景気が後退していく中で、インフレーション（物価上昇）が同時に起こることを**スタグフレーション**という。
04 買う側を需要、売る側を供給とし、**価格と量の関係を表した曲線**を（ ① ）という。2つの曲線が交わるときの価格を（ ② ）という。	**04** **①需要供給曲線** **②均衡価格**
05 売る側に技術革新があった場合、供給曲線は（ ① ）に移動し、均衡価格は（ ② ）。	**05** **①右下、②下がる** 商品をより安く、より多く生産できるようになるため。
06 不景気で買う側の収入が下がった場合、需要曲線は（ ① ）に移動し、均衡価格は（ ② ）。	**06** **①左下、②下がる** 買う機会が減り、より安いものを買い求めるようになるため。

8 政治・経済
財政と税制

- 国の財源は、**租税、印紙収入、公債**が中心
- 税金は**国税と地方税**があり、さらにそれぞれが**直接税と間接税**に分けられる
- 国民の納税は憲法で義務づけられている

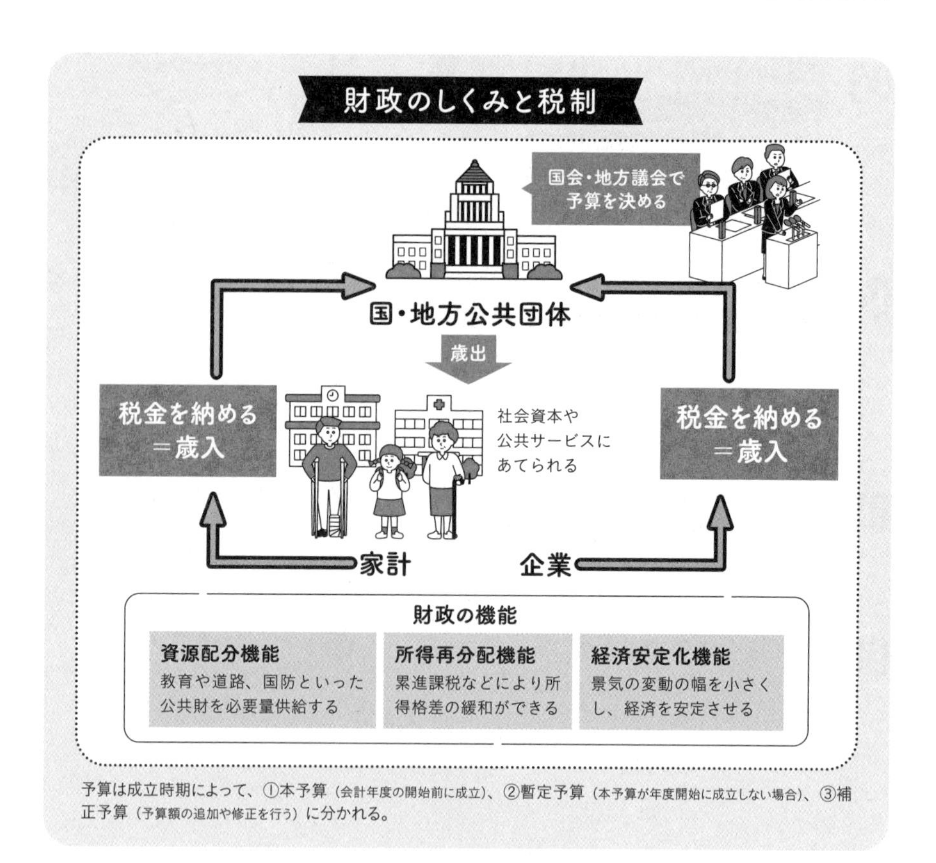

予算は成立時期によって、①本予算（会計年度の開始前に成立）、②暫定予算（本予算が年度開始に成立しない場合）、③補正予算（予算額の追加や修正を行う）に分かれる。

問題

01 予算について、公共事業など政府が行う**一般行政**に使われる予算を（ ① ）といい、会計年度の**途中で新たな経費の追加が必要**になったときに（ ② ）の議決ののちに組まれるものを（ ③ ）という。

02 所得再分配機能とは（　　）によって徴収した税金を、社会保障制度を通して再分配し、**所得格差を緩和する**ことである。

03 税金を負担する者と納める者が同じ税を（ ① ）といい、異なる税を（ ② ）という。

04 納税者からの相談を受けたり、税務調査、税金の賦課・徴収を行うのは（　　）である。

以下の表に入る税金を下の語群から選べ。

05

	直接税	間接税
国税	（ ① ） （ ② ）	（ ③ ） （ ④ ）
地方税	（ ⑤ ） （ ⑥ ）	（ ⑦ ） （ ⑧ ）

語群

所得税、印紙税、自動車税、
消費税、復興特別所得税、入湯税、
地方消費税、固定資産税

解答・解説

01 ①一般会計予算
②国会
③補正予算

日本の国家予算のうち、一般会計予算は112兆円、特別会計は207兆円で合計300兆円超の規模になる。

02 累進課税制度

消費税などの間接税は、高所得者よりも低所得者に対する負担が大きくなる**逆進**が生じる。

03 ①直接税、②間接税

直接税：所得税、法人税等
間接税：酒税、たばこ税、消費税等

04 税務署

税法の**立案は主税局**、税法の執行は**国税局**。

05 ①所得税
②復興特別所得税
③印紙税
④消費税
⑤自動車税
⑥固定資産税
⑦地方消費税
⑧入湯税

政治・経済

9 金融と株式

ポイントはココ！

- 日本銀行の機能は、「政府の銀行」「発券銀行」「銀行の銀行」の3つ
- 金融は**直接金融と間接金融**に分かれる
- 日本銀行は**公開市場操作**で資金量を調節する

日本銀行の金融政策

好況のとき

売りオペレーション
- 市場に出回るお金の量を減らす
- 国債や手形を売る

→ 銀行は企業や個人へ貸出しを行う → 企業や個人はあまりお金を使わなくなる

↓ 通貨量が減少　↓ 景気の過熱を抑制する

不況のとき

買いオペレーション
- 市場に出回るお金の量を増やす
- 国債や手形を買う

→ 銀行は企業や個人への貸出し金利を下げる → 企業や個人が多くのお金を借りるようになる

↓ 通貨量が増加　↓ 景気を刺激する

オペレーションとは公開市場操作のこと。売りオペレーションでは市場の資金量を減らし、買いオペレーションでは市場の資金量を増やす。そうして市場に出回る資金量を調節することで、経済の安定化を図っている。

問題

01 日本銀行は、**国庫金**の保管、出納を行う（　①　）の銀行、**日本銀行券**の発行をする（　②　）銀行、**市中金融機関**との取引をする（　③　）の銀行としての機能がある。

02 **紙幣**は（　①　）が発行し、**貨幣**は（　②　）が発行する。

03 **日本銀行が行う資金調節**を（　①　）といい、好況時には（　②　）オペレーション、不況時には（　③　）オペレーションを行う。

04 金融機関が破綻した場合に、預金が**一定金額まで保証**される制度を（　　）という。

05 企業が資金調達のために**金融機関を通して**融資を受けることを（　　）という。

06 東京証券取引所プライム市場に上場している企業のうち225社の平均株価を（　①　）という。**1968年の株価総額を100**とし、東証プライム市場の時価総額を割った指数を（　②　）という。

07 投資家から集めた資金を金融商品に投資して、その利益を投資家に分配する手法を（　　）という。

解答・解説

01 ①政府
②発券
③銀行

日本銀行は物価の安定と金融システムの安定を目的とする日本の**中央銀行**。

02 ①日本銀行、②政府

2023年、年越しした銀行券残高は124.6兆円。

03 ①公開市場操作、
②売り、③買い

日本銀行の業務は①銀行券発行、②決済サービスの提供、③金融政策、④金融システムの安定化、⑤対政府取引、⑥国際業務。

04 ペイオフ

1金融機関につき1人あたり**1000万円まで**と、破綻日までの利息が保護の対象。

05 間接金融

証券や株式などを発行し、投資家が買うことで資金を調達するのが直接金融。

06 ①日経平均株価
②TOPIX（東証株価指数）

日経平均株価は日本の主企業の**株価変動**を反映し、TOPIXは**日本経済全体**の動きを表している。市場区分は日本取引所グループにより、2022年4月にプライム市場・スタンダード市場・グロース市場の3つに見直しされた。

07 投資ファンド

10 政治・経済 経営活動

ポイントはココ！

- 国や地方公共団体が出資、経営する**公企業**と、民間が出資、経営する**私企業**がある
- 私企業には**株式、合同、合名、合資会社**がある
- 出資者には**有限責任と無限責任**がある

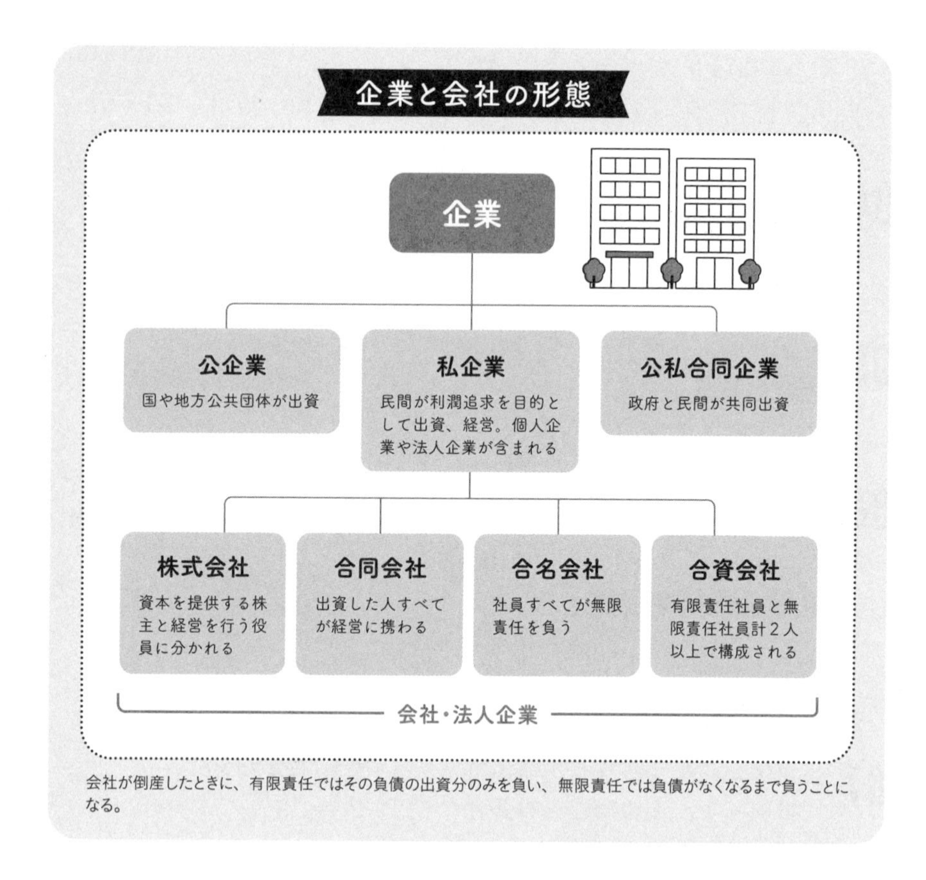

会社が倒産したときに、有限責任ではその負債の出資分のみを負い、無限責任では負債がなくなるまで負うことになる。

問題	解答・解説

01 国や地方公共団体が出資する企業を（ ① ）、民間と合同して設立したものを（ ② ）という。その中で、**地域開発関連**のものを（ ③ ）と呼ぶこともある。

01 **①公企業、②公私合同企業、③第三セクター**

第三セクターとは、公共団体や企業が出資して会社を作り、企業が経営を行う**官民共同の事業体**のこと。

02 現在、国内で設立できる私企業の形態は（ ① ）会社、（ ② ）会社、合名会社、合資会社の4形態となる。**2006年**以降、（ ③ ）会社の新設はできない。

02 **①株式、②合同、③有限**

資金を出す人や出資金額、企業経営の責任範囲などによって、株式会社、合名会社、合資会社、合同会社に分かれる。

03 会社が倒産したときに、その負債を**出資分のみ負う**ことを（ ① ）といい、株式会社の（ ② ）がこれに当たる。

03 **①有限責任、②株主**

株主は、会社に利益が出たときに、所有する株式に応じて**配当**を受け取ることができる。

04 （ ① ）は**最高経営責任者**のことをいい、**経営方針や戦略の決定**を行う。**その決定を実践**していく責任者を（ ② ）といい、**最高執行責任者**を指す。

04 **①CEO、②COO**

日本ではCEO（Chief Executive Officer）は会長または社長、COO（Chief Operating Officer）は社長ととらえることが多い。

次の説明と関係の深い語句を下の語群から選べ。

05 ①企業経営で、業務を**外部委託**すること
②投資家、顧客、取引先、従業員など**企業の利害関係者**
③**企業対企業**の取引形態

語群

BtoB、アウトソーシング、ステークホルダー

05 **①アウトソーシング**
②ステークホルダー
③BtoB

BtoBはBusiness to Businessの略。BtoCはBusiness to Consumerの略で、企業対消費者の取引形態。

おさらいしよう!

実力テスト

問題

以下の文章について、正しいものは○、誤っているものは×で答えよ。

01 日本の平和主義や戦争放棄は憲法の第3条に明記されている。

02 最高裁判所の長官は内閣によって指名され、天皇によって任命される。

03 一選挙区について議員一人を選出する方法を比例代表制という。

04 三権分立とは、司法・立法・行政のことである。

05 地方自治の行政も国会同様、議院内閣制である。

06 国民総生産はGDP、国内総生産はGNPである。

07 物価が上がり続け、その結果貨幣価値が下がることをインフレーションという。

08 所得税は国税における直接税である。

09 日本銀行は不況時には市場に出回るお金の量を増やす買いオペレーションを行う。

10 最高執行責任者をCEOといい、最高経営責任者をCOOという。

解答

01 × 3条→9条 ➡ P28	02 ○ ➡ P30	03 × 比例代表制→小選挙区制 ➡ P32	04 ○ ➡ P34	05 × 議院内閣制→二元代表制(行政都議会の代表ともに住民が選ぶ) ➡ P36
06 × GNPとGDPが逆 ➡ P38	07 ○ ➡ P40	08 ○ ➡ P42	09 ○ ➡ P44	10 × CEOとCOOが逆 ➡ P46

[テーマ❸]

社会・地理・歴史

ここでは、労働に関する法律や社会保障、
医療・福祉制度について、そのほか、
社会全般の知識や情報について解説します。
また、日本と世界の地理と歴史についても学びましょう。

社会・地理・歴史

1 労働・社会保障

ポイントは
ココ!

- **憲法第28条**は労働基本権を保障する
- **労働三権保障**のために**労働三法**が制定された
- 社会保障制度は、**社会保険・社会福祉・公的扶助・公衆衛生**の4つの柱からなる

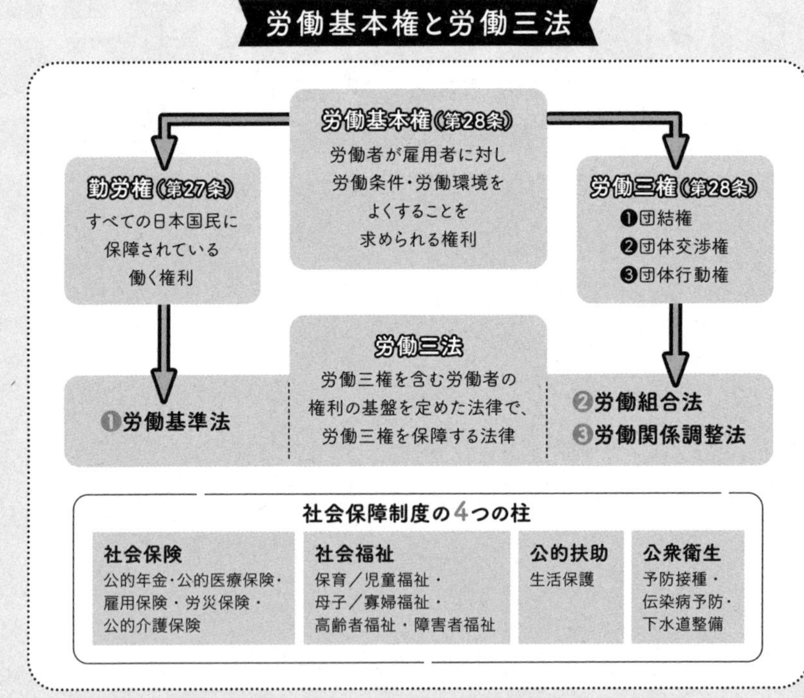

憲法第27条では「勤労の権利と義務」を定め、賃金や基本的な労働環境の基準などは法律で定めるものとしている。また、労働三権は労働者を守るための基本的な権利で、労働基本権で保障されている。

問題	解答・解説
01 **労働三権**とは、団結権、(①)、(②)のことで憲法第 28 条に保障される。	**01** ①団体交渉権 ②団体行動権 **労働組合を結成する**権利(団結権)、**使用者と団体交渉する**権利(団体交渉権)、**労働者が団体で行動する**権利(団体行動権)。
02 **1985 年、男女の雇用についての不平等を是正**するために( )が制定された。	**02** 男女雇用機会均等法 労働市場のマッチングと派遣社員の保護、雇用安定のために制定されたのは**(労働者)派遣法**。
03 労働者が組合を作り、**会社と話し合い**ができることを保障した法律を(①)といい、労働者と使用者の間で生じる争いの予防・解決を目的とした法律を(②)という。	**03** ①労働組合法 ②労働関係調整法 ①と②に労働基準法を合わせて労働三法という。
04 リスクに備え、人びとがあらかじめ(①)を出し合い、実際にリスクに遭遇した人に、**必要なお金やサービスを支給する社会保障制度**を(②)という。	**04** ①お金(保険料) ②社会保険制度 社会保障とは、国民の生存権を確保することを目的とする保障のこと。
05 **日本国民全員**が何らかの医療保険に加入することを( )という。	**05** 国民皆保険 病気やけがをしても安心して医療が受けられるようにする。**相互扶助の精神**に基づく。
06 **自営業者**などが加入する医療保険は(①)であり、**75 歳以上**の高齢者は(②)が適用される。	**06** ①国民健康保険 ②後期高齢者医療制度 会社に勤める従業員や事業者、その家族が加入する公的医療保険は**健康保険**。
07 年金保険には 20 歳以上(①)歳未満の**すべての国民**が加入する(②)のほか、**会社員など**が加入する(③)がある。	**07** ①60、②国民年金、 ③厚生年金 公的年金は国が管理、運営している。

2 社会・地理・歴史
医療

ポイントはココ！

- 三大生活習慣病は**がん・心疾患・脳血管疾患**
- 予防医学は**一次～三次予防**の３段階に分けられる
- 高齢者の増加に伴い、**認知症も増加**している

代表的な疾病と予防対策

三大生活習慣病

がん（悪性新生物など）

心疾患（心臓病など）

脳血管疾患（脳卒中など）

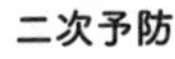

一次予防
病気を予防するためにすること全般を指す。適度な運動・休養、禁煙、予防接種など

二次予防
発生した病気の早期発見・早期治療で重症化を防ぐ。人間ドックなどを推奨

三次予防
再発防止と社会復帰を促す。リハビリテーション、保健指導などを行う

予防医学のもと健康な体作りを目指す

肉体的、精神的、社会的、経済的、すべてを含めた生活の質をQuality of Life（QOL）といい、治療中において、納得のいく生活の質の維持を目指すという考え方である。

問題	解答・解説
01 日本の**死因の1位**であり、生活習慣病でもある疾病は（　　）である。	**01** がん 1950年には結核が、1951年以降は脳卒中が死因の1位だった。
02 **「説明を受け納得したうえでの同意」**という意味で、医師が病気や容態、検査、治療の内容、処置など十分な説明をしたうえで同意して治療を受けることを（　　）という。	**02** インフォームド・コンセント
03 **次の行為は予防医学において第何次予防となるか。** ①肺がん検診　②健康増進 ③リハビリテーション ④バランスのよい食習慣 ⑤予防接種	**03** ①二次予防、②一次予防、③三次予防、④一次予防、⑤一次予防 予防医学とは「病気にかからないように予防する」という考え方のこと。たとえば、予防接種は**病気にならないためにする**ものである。
04 **疾病の発病を予防**し、（①）次予防に重点をおいた**21世紀**における国民健康づくり運動として（②）が提唱されている。	**04** ①一、②健康日本21
05 治癒の見込みのない患者に対して、**痛みの緩和**などを行う医療を（　　）という。	**05** ターミナルケア 終末期の医療および看護のこと。緩和ケアの大切な一部である。
06 正常な機能を失った心臓に電気を流し、**正常なリズムに戻す機械**を（　　）という。	**06** AED 自動体外式除細動器のこと。人が倒れてから3分以内に電気ショックを行うと救命率は70%といわれている。
07 **病院滞在中**に、ほかの病原体に感染してしまうことを（　　）という。	**07** 院内感染 対象者は患者だけでなく、見舞い客、医療従事者、その他の職員も含まれる。

福祉・介護

ポイントは ココ！

- 日本の高齢者の人口比率は**世界一**
- 国民全体が福祉の対象となる概念を**ノーマライゼーション**という
- 介護保険の利用には**事前に申請・認定**が必要

社会福祉と介護保険

●社会福祉六法とは

社会福祉六法

社会福祉六法を基本に、子供から高齢者まで幅広い世代に対して福祉制度を展開する。社会福祉法は含まれない

- 児童福祉法
- 生活保護法
- 母子及び父子並びに寡婦福祉法
- 知的障害者福祉法
- 老人福祉法
- 身体障害者福祉法

●介護保険のしくみ

- サービス提供事業者・施設 → 市町村（保険者）：サービス費用の請求
- 市町村（保険者） → サービス提供事業者・施設：介護給付金の支払い（7～9割）
- 利用者（被保険者） → サービス提供事業者・施設：利用料の支払い
- サービス提供事業者・施設 → 利用者（被保険者）：サービスの提供
- 利用者（被保険者） → 市町村（保険者）：介護保険料の納付・要介護認定の申請
- 市町村（保険者） → 利用者（被保険者）：介護保険証の交付・要介護認定

介護保険にかかる費用のうち、1～3割が利用者負担となる。残りの費用は公費（税金）と介護保険の被保険者が納める保険料とで半分ずつ負担している。

問題	解答・解説
01 **社会福祉六法**とは、（ ① ）、（ ② ）、母子及び父子並びに寡婦福祉法、（ ③ ）、身体障害者福祉法、知的障害者福祉法の総称である。	**01** ①生活保護法 ②児童福祉法 ③老人福祉法
02 高齢者や障害のある人も含めて、**すべての人びと**が家庭や社会の中でともに**普通に生活すべき**という概念を（ ）という。	**02** ノーマライゼーション 「標準化」や「正常化」という意味。「違いがあることを標準（当たり前）にしよう」という理念。
03 （ ① ）といわれる戦後の（ ② ）に生まれた世代が2010年過ぎから高齢者に入り、**高齢化率が上昇**している。	**03** ①団塊の世代 ②（第一次）ベビーブーム 1971～74年は第二次ベビーブームで、この世代を**「団塊ジュニア」**という。
04 日本では高齢者医療の対象者を65～74歳の（ ① ）、75歳以上の（ ② ）に分けている。	**04** ①前期高齢者 ②後期高齢者 高齢者人口は3625万人で、総人口に占める割合は**29.3%**（2024年9月15日時点）。
05 介護保険の被保険者は2種に分けられており、その利用には市町村に対して要支援または（ ）認定の申請が**事前に必要**である。	**05** 要介護 **65歳以上**が第1号被保険者、**40～64歳までの医療保険加入者**が第2号被保険者となる。
06 要介護認定が出たら、**要支援**の場合は（ ① ）、**要介護**の場合は居宅介護支援事業所に属する（ ② ）が相談窓口となる。	**06** ①地域包括支援センター ②ケアマネジャー
07 介護サービスのうち、**ホームヘルプサービス**や**デイサービス**などを（ ）サービスという。	**07** 居宅 訪問サービス、通所サービス、短期入所サービスなどに分けられる。

4 環境・エネルギー

ポイントはココ!

- 二酸化炭素やメタンは**温室効果ガス**に当たる
- **クリーンエネルギー**は有害物質を排出しない、または排出量が少ないエネルギーのこと
- 日本の公害は**大気汚染や水質汚濁**などがある

地球の環境問題

再生可能エネルギーのうち、技術的には実用段階にあるが、コストなどの理由から普及が進んでいないものを新エネルギーといい、クリーンエネルギーの多くが含まれる。

問題

01 環境基本法による**典型七公害**は、（ ① ）、水質汚濁、（ ② ）汚染、騒音、振動、（ ③ ）沈下、悪臭である。

02 **石炭、石油、天然ガス**を総称して（ ① ）燃料といい、これらを利用することで（ ② ）や大気汚染による酸性雨を引き起こすと考えられる。

03 **エアコンの熱など**で都市の過密地域の気温が通常以上に上がることを（ ）という。

04 **オゾン層破壊**は排出された（ ① ）によって起こり、有害な（ ② ）が地上に届きやすくなる。

05 （ ① ）は**工場や自動車の排ガス**に含まれる（ ② ）や（ ③ ）によって起こり、森林に影響を与える。

06 **屋根や壁などのスペース**を活用できる（ ① ）発電や日本国内では昔から使われ、**一定量の電力を作ることができる**（ ② ）発電、**動植物の廃棄物**を利用する（ ③ ）発電などを（ ④ ）という。

07 1992年、**国連環境開発会議**で（ ① ）条約、（ ② ）条約の署名が始まった。

解答・解説

01 ①大気汚染、②土壌、③地盤
環境に関する法律に、**自然環境保全法、公害対策基本法**などがある。

02 ①化石、②地球温暖化
大気汚染の原因には、工場排水、大気汚染物質、自動車の排気ガス、煤じん、粉じんなどがある。

03 ヒートアイランド現象
エアコンの排熱、自動車の排熱、事業活動などによる。

04 ①フロンガス
②紫外線
紫外線が強くなると**皮膚がん**の増加などが起こる。

05 ①酸性雨
②硫黄（いおう）酸化物
③窒素酸化物

06 ①太陽光、②水力、
③バイオマス、
④クリーンエネルギー
風力発電や地熱発電も含まれる。

07 ①気候変動枠組
②生物多様性
気候変動枠組条約は地球温暖化防止条約ともいう。

5 社会・地理・歴史
情報・IT

ポイントは ココ！

- ITはInformation Technologyの略
- EC（電子商取引）が広く普及している
- ITを利用する・しないことで デジタルデバイド（情報格差）が生まれている

現代の高度情報化社会

地域間デジタルデバイド
国内の都市と地方など、地域間に生じる格差

個人間・集団間デジタルデバイド
身体的・社会的条件からITを使いこなせる人とそうでない人との間に生じる格差

国際間デジタルデバイド
インターネット普及の問題で国際間に生じる格差

情報格差

インターネットの出現で生活はより便利で豊かなものになっている。一方で、情報を享受する人と取り残される人との間の格差が広がっており、情報を受けられない地域や集団を「情報弱者」と呼ぶ場合もある。

問題	解答・解説

01 コンピュータの**中核**をなし、**演算・制御**を行う処理装置を（ ① ）といい、システムを管理しさまざまなソフトを動かすための**基本的なソフト**を（ ② ）という。

01 ①CPU（中央処理装置）
②OS
OSとはオペレーティングシステムのことでWindowsやmacOSなどを指す。

02 情報を集め、そこから主体的に正しく**取捨選択できる能力**を（　　）という。

02 メディアリテラシー
情報を集める場合は、情報の真偽や信ぴょう性の高さを検討する必要がある。

03 情報通信技術を利用できる人とできない人との間で生じる、貧富や地位格差を（　　）という。

03 デジタルデバイド
インターネットなどを利用できる人とできない人の間で起こる、機会や待遇の差が貧富の差につながる。

04 高性能になったコンピュータが収集した**膨大なデジタルデータ**のことを（　　）という。

04 ビッグデータ
情報に時系列性、リアルタイム性があり、新たなしくみやシステムを生み出す可能性が高まる。

次の説明に適する語を下の語群から選べ。

05 ①パソコン、スマホなどの多くの機器に使われる**無線LAN規格**
②**インターネットを利用**して商取引を行うこと
③腕時計のように**身につけるデジタル機器**
④偽のサイトなどで**個人情報などを不正に入手**する行為

語群
eコマース、Wi-Fi、ウェアラブルデバイス、フィッシング

05 ①Wi-Fi
②eコマース
③ウェアラブルデバイス
④フィッシング

地理学・地図

ポイントはココ！

- 世界標準時は**グリニッジ天文台**が基準
- 経度が東に 15° 進むと時刻は **1 時間**進む
- ケッペンの気候区分は**熱帯、乾燥帯、温帯、冷帯**（亜寒帯）、**寒帯**の５つに分けられる

世界地図の種類

地図は地球（球体）を平面に表したものなので、面積、距離、方位のすべてに正しいものは作ることができない。

問題	解答・解説

01 地球表面上に沿って**北極と南極を最短距離で結ぶ線**を（ ① ）、**赤道に平行**な線を（ ② ）という。

01 ①経線、②緯線
経度はイギリスのグリニッジ天文台を通る南北の線を0°とする。緯度は赤道を0°とする。

02 **世界標準時**の基準になるのは英国の（ ① ）、**日本の標準時**は兵庫県（ ② ）市である。日本は標準時より（ ③ ）時間進んでいる。

02 ①グリニッジ天文台、②明石、③9
東経135°÷15＝9となる。**15°で1時間**の時差が発生する。

03 世界地図で、**海図・航路図**として**角度**を正しく表す図法を（ ① ）図法といい、**真円**で描かれ、**中心からの距離と方位**が正しくなる図法を（ ② ）図法という。

03 ①メルカトル、②正距方位
メルカトル図法は**高緯度**ほど、正距方位図法は**円の外側**ほど歪みが大きい。航路が直線で表されるため、海図、航路図として使われてきた。

04 正しい**面積**の正積図法には、**分布図**に用いられる（ ① ）図法やサンソン図法、2つを組み合わせて**歪みを小さく**した（ ② ）図法がある。

04 ①モルワイデ、②グード
モルワイデ図法は円筒図法ともいい、グード図法はホモロサイン図法ともいう。

05 日本国内の**測量、基本地図**の作成は（ ① ）省の付属機関である（ ② ）が作成している。

05 ①国土交通
②国土地理院
国土地理院では、国土を測ったり、国土を描いたりすることもある。

06 ケッペンの気候区分において、日本の**大部分**は（ ① ）帯に入るが、**東北や北海道**は（ ② ）帯に入る。

06 ①温、②冷（亜寒）
多くは**温帯湿潤気候**となる。また、降水量や平均気温などによってさらに細分化される。

07 ある地域の気候を特徴づける「気候の三要素」は（ ① ）、（ ② ）、（ ③ ）である。

07 ①気温、②降水量、③風
これらを決定づける緯度や地形、海流などを**気候因子**という。

7 社会・地理・歴史
首都・県庁所在地

- 地名だけでなく、**地図上で位置も確認**すると覚えやすい
- 日本の県庁所在地では、**県名と一致しないもの**に注意しよう

世界の首都

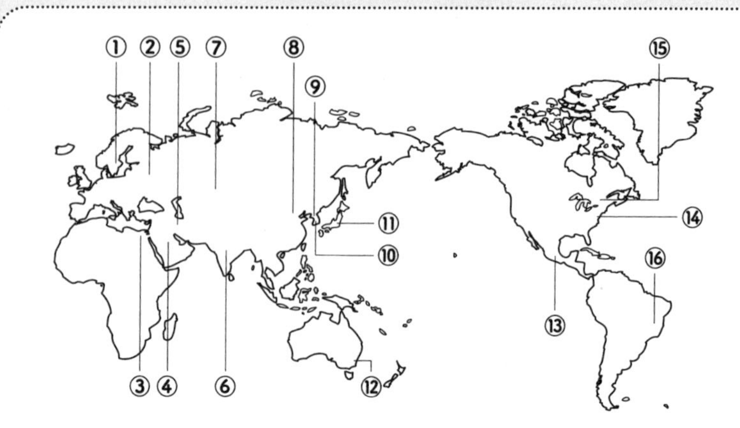

①ストックホルム（スウェーデン）	②モスクワ（ロシア連邦）	③カイロ（エジプト）	④リヤド（サウジアラビア）	⑤テヘラン（イラン）	⑥デリー（インド）
⑦アスタナ（カザフスタン）	⑧北京（中華人民共和国）	⑨平壌（朝鮮民主主義人民共和国）	⑩ソウル（大韓民国）	⑪東京（日本）	⑫キャンベラ（オーストラリア）
⑬メキシコシティ（メキシコ）	⑭ワシントンD.C.（アメリカ合衆国）	⑮オタワ（カナダ）	⑯ブラジリア（ブラジル）		

世界の首都はよく出題される。主要国の首都はできるだけ覚えることが大切。

問題	解答・解説

01

次の国の首都を答えよ。

①アメリカ合衆国
②オランダ
③アラブ首長国連邦
④カナダ
⑤オーストラリア
⑥トルコ
⑦ニュージーランド
⑧チリ
⑨ウクライナ
⑩インドネシア
⑪マレーシア
⑫ケニア
⑬ベトナム
⑭タイ

01

①ワシントン D.C.
②アムステルダム
③アブダビ
④オタワ
⑤キャンベラ
⑥アンカラ
⑦ウェリントン
⑧サンティアゴ
⑨キーウ（キエフ）
⑩ジャカルタ
⑪クアラルンプール
⑫ナイロビ
⑬ハノイ
⑭バンコク

2024年現在、世界には196の国がある。おもな国と首都は必ず覚え、今、トピックになっている国は地図で確認しながら覚えておくとよい。

02

次の都道府県は県庁所在地が都道府県の名称と異なるものである。それぞれの県庁所在地を答えよ。

①北海道　②岩手県
③宮城県　④茨城県
⑤栃木県　⑥群馬県
⑦埼玉県　⑧東京都
⑨神奈川県　⑩石川県
⑪山梨県　⑫愛知県
⑬三重県　⑭滋賀県
⑮兵庫県　⑯島根県
⑰香川県　⑱愛媛県
⑲沖縄県

02

①札幌市、②盛岡市、③仙台市、④水戸市、⑤宇都宮市、⑥前橋市、⑦さいたま市、⑧新宿区、⑨横浜市、⑩金沢市、⑪甲府市、⑫名古屋市、⑬津市、⑭大津市、⑮神戸市、⑯松江市、⑰高松市、⑱松山市、⑲那覇市

さいたま市は平仮名表記なので埼玉県と異なるものとしている。九州地区は、県名と県庁所在地名がすべて同じである。

8 社会・地理・歴史
都道府県

- 北海道は**面積は最大**だが、人口密度は低く、**農作物の収穫量が多い**
- 日本で海に面しない県は**8つ**ある
- 空港・飛行場は**37都道府県**にある

日本のいろいろランキング

	面積が大きい	人口が多い	人口密度が高い
1位	北海道（8万3424㎢）	東京都（約1420万人）	東京都（6402.6人/㎢）
2位	岩手県	神奈川県	大阪府
3位	福島県	大阪府	神奈川県

	面積が小さい	人口が少ない	人口密度が低い
1位	香川県（1877㎢）	鳥取県（約53万人）	北海道（66.6人/㎢）
2位	大阪府	島根県	岩手県
3位	東京都	高知県	秋田県

新型コロナウイルスの影響が薄れ、東京への人口流入が再度加速している。

問題	解答・解説
01 面積が最も**大きな**都道府県は（ ① ）で、面積が最も小さな都道府県は（ ② ）である。	**01** ①北海道、②香川県 北海道は日本全体の面積の**約22%**を占める。
02 **海に面しない**都道府県は、（ ① ）、（ ② ）、（ ③ ）、（ ④ ）、（ ⑤ ）、（ ⑥ ）、（ ⑦ ）、（ ⑧ ）の8つ。	**02** ①群馬県、②栃木県、③埼玉県、④長野県、⑤山梨県、⑥岐阜県、⑦滋賀県、⑧奈良県
03 **米の生産量**は、上位から（ ① ）、北海道、（ ② ）である。	**03** ①新潟県、②秋田県 米の消費量は減少傾向にある。
04 **みかんの生産量**は、上位から（ ① ）、（ ② ）、静岡県。	**04** ①和歌山県、②愛媛県 種類豊富なみかんの中でも、収穫量が最も多いのは**温州みかん**。年間生産量は61万3000トン。
05 **新幹線**が通らない県は（ ）県ある。	**05** 14 2022年に西九州新幹線の開通で長崎県、2024年に福井新幹線の開通で福井県に通るようになった。茨城県は、新幹線は通っているが駅はない。
06 （ ① ）、（ ② ）、（ ③ ）、（ ④ ）、（ ⑤ ）、（ ⑥ ）、（ ⑦ ）、（ ⑧ ）、（ ⑨ ）、（ ⑩ ）には**空港がない**。	**06** ①栃木県、②群馬県、③埼玉県、④神奈川県、⑤山梨県、⑥岐阜県、⑦三重県、⑧滋賀県、⑨京都府、⑩奈良県
07 隣接する都道府県が**最も多い**のは（ ① ）で（ ② ）県と接する。**最も少ない**のは（ ③ ）で隣の（ ④ ）と接するのみである（ただし、北海道、沖縄は除くものとする）。	**07** ①長野県、②8、③長崎県、④佐賀県 長野県は群馬県、埼玉県、新潟県、富山県、山梨県、岐阜県、静岡県、愛知県と接する。

9 社会・地理・歴史

日本地理

ポイントはココ！

- 本土５島と **14120 の離島**、合計 14125 島で構成
- ４つの海に囲まれ、４つの海流と４つの気団によって**豊かな四季**がある
- 山地・急流が多く、**地形が変化に富んでいる**

日本国土の姿と特徴

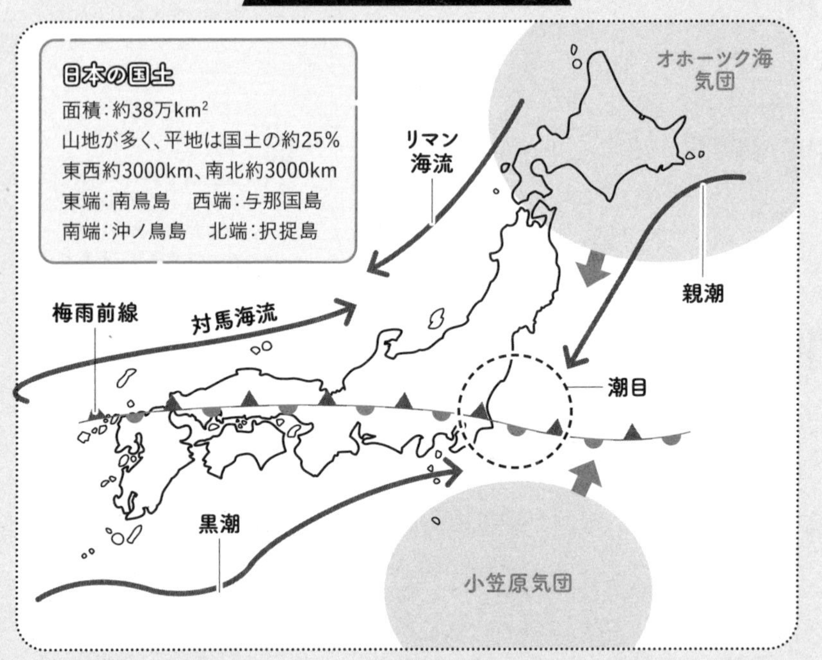

日本国土を指すとき、北海道・本州・四国・九州・沖縄本島も島であるが、この５島を「本土」として、これ以外を「島」とすることが多い。

問題	解答・解説
01 **日本の国土の面積**は約（　①　）万 km² で、東西・南北にそれぞれ約（　②　）km の長さの列島である。	**01** ①38、②3000 日本と同じくらいの大きさの国はベトナムやドイツなど。**イギリスやイタリアは日本よりも小さい**。
02 平地は（　①　）%ほどしかなく、その中でも**標高 100m 以下の地域**に人口の（　②　）%が住んでいる。	**02** ①25、②80 日本の国土は、山が多く、海に囲まれ、台風や地震などの自然災害が多いのが特徴。
03 河川は**一番長い**（　①　）川でも全長 367km で、急流箇所が多く、**山間部**での V 字谷や**急流が平野部に出る**ときにできる（　②　）、**河口付近**にできる（　③　）など特徴的な地形が見られる。	**03** ①信濃、②扇状地、 ③三角州 日本の河川は、山から海までの距離が短く、流れが急で、**大雨が降ると水かさが増しやすい**。また、流域面積が小さいのが特徴。
04 **5月から7月**にかけて、暖気団である（　①　）と、寒気団である（　②　）がぶつかり合うことによって**雨が多く**なる期間を（　③　）という。	**04** ①小笠原気団 ②オホーツク海気団 ③梅雨 梅雨は日本特有の言葉で、**気象用語でいう雨季**に当たる。
05 **親潮**と呼ばれる（　①　）海流と**黒潮**と呼ばれる（　②　）海流がぶつかる場所を（　③　）という。	**05** ①千島、②日本、③潮目 日本列島の周辺には4つの海流がある。**暖流は対馬海流と黒潮、寒流はリマン海流と親潮**。
06 **日本アルプス**は3つの山脈からなり、北から飛騨山脈、（　①　）山脈、（　②　）山脈となる。	**06** ①木曾、②赤石 本州中央部の中部山岳地帯にある。
07 日本の**最南端**にあり、浸食による消失を防ぐために**保護工事**を行ったのは（　　　）島である。	**07** 沖ノ島

社会・地理・歴史

10 世界地理

ポイントはココ!

- 世界は**六大陸と三大洋**からなり、面積の比は陸地：海洋＝３：７である
- 世界全体では人口は**急激に増加**している
- 世界は2024年現在、**196の独立国**から構成される※

※2024年現在、日本が承認している国の数である195か国に日本を加えた数。

世界のいろいろランキング

	面積が大きい国	距離が長い川	人口が多い国
1位	ロシア（1710万㎞²）	ナイル川（6695㎞）	インド（約14億人）
2位	カナダ	アマゾン川	中国
3位	アメリカ	長江	アメリカ

	面積が小さい国	面積が大きい川	標高が高い山
1位	バチカン市国（0.44㎞²）	アマゾン川（705万㎞²）	エベレスト（8850m）
2位	モナコ	コンゴ川	K2
3位	ナウル	ミシシッピ川	カンチェンジュンガ

中国の人口は2022年に61年ぶりに減少。一人っ子政策などで出生数は減っているが、その分、今後日本よりも高齢化社会が進むといわれている。

問題	解答・解説

01 世界で**最も面積の大きい国**は(①)で**最も小さい国**は(②)である。

01 ①ロシア、②バチカン市国
ロシアの国土は約1710万km^{2}で、地球上で人が住める面積の8分の1を占める。

02 世界には**196の独立国**があるが、独立国は(①)、(②)、(③)の3つを持つとされ、そのうえで、ほかの多くの国から認められるものである。

02 ①領土、②主権、③国民
独立国は主権国家ともいう。国家の独立とは、その国がいかなる外部の支配からも自由であることをいう。

03 世界を大まかに**6つの大陸**に分けたうち、最大の(①)大陸は(②)州と(③)州に分けられる。

03 ①ユーラシア、②ヨーロッパ、③アジア
ユーラシア大陸、アフリカ大陸、北アメリカ大陸、南アメリカ大陸、オーストラリア大陸、南極大陸で**六大陸**と呼ぶ。

04 **アルミニウムの原料**である(①)の産出量が最も多い国は(②)である。

04 ①ボーキサイト
②オーストラリア
ボーキサイトの名前の由来はフランスの都市レ・ボー＝ド＝プロヴァンス。

05 日本の鉄鉱石の輸入先は、おもに( )やブラジルである。

05 オーストラリア

06 **原油の産出量**は(①)、ロシア、(②)が多いが、日本のおもな輸入先は(③)、(④)である。

06 ①アメリカ
②サウジアラビア
③サウジアラビア
④アラブ首長国連邦

07 **小麦の生産量**が多い国は上位から(①)、インド、(②)、となる。

07 ①中国、②ロシア
小麦の生産量の多い国（2021年）
中国：1億3700万トン
インド：1億900万トン
ロシア：7600万トン

11 社会・地理・歴史
世界遺産

ポイントはココ！

- 1978年に初めて12か所が登録された
- 登録内容によって**文化遺産、自然遺産、複合遺産**の3種に分けられる
- 登録対象は**移動が不可能**な土地や建造物

日本の代表的な世界遺産

世界遺産とは？
1972年のユネスコ総会で採択された条約に基づき、「顕著な普遍的価値」があるとされる建造物や遺跡、景観、自然のこと

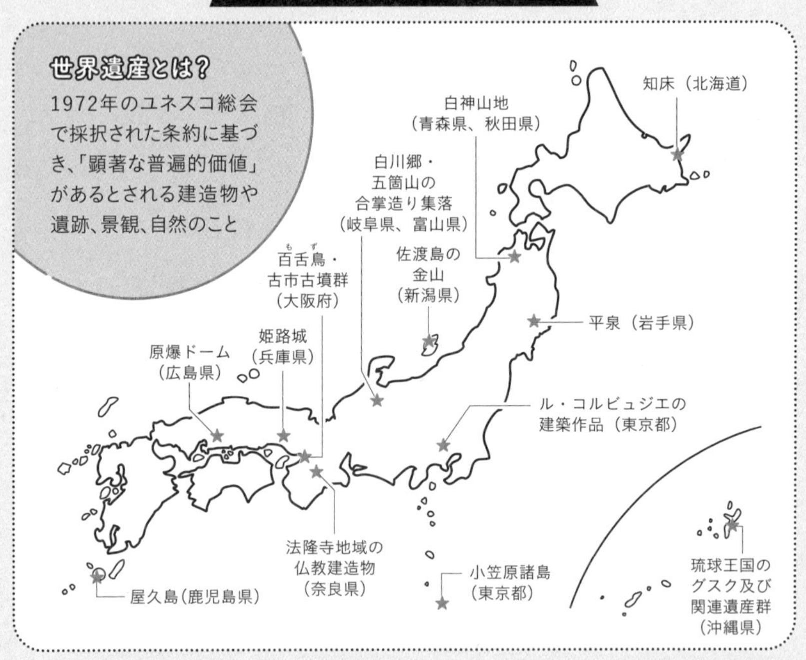

日本の自然遺産は、「知床」「白神山地」「小笠原諸島」「屋久島」「奄美大島、徳之島、沖縄島北部及び西表島」で、そのほかの世界遺産は文化遺産となる。

問題

次の文に適する場所を下の語群から選べ。

01 ①独自の環境下で暮らす野生生物が多いエクアドルの火山島群
②アメリカにある**世界で最も古い国立公園**といわれ、有名な間欠泉(かんけつせん)が見られる
③ポーランドの文化の中心ともいわれ、**中世の建物が多く残る**旧市街
④エチオピアにあり、地中を掘って作ったといわれる**十字形の教会**が有名
⑤ドイツにあり、**「皇帝の大聖堂」**とも呼ばれる北ヨーロッパ最古の大聖堂

語群

クラクフ歴史地区、ガラパゴス諸島、イエローストーン、アーヘン大聖堂、ラリベラの岩窟教会群

02 日本の最初の世界遺産登録は**1993年**。そのうち自然遺産が（　①　）、（　②　）で、文化遺産が（　③　）、（　④　）である。

03 日本の最新の世界遺産登録は、新潟県の（　　　）である。

解答・解説

01 ①ガラパゴス諸島
②イエローストーン
③クラクフ歴史地区
④ラリベラの岩窟教会群
⑤アーヘン大聖堂

これらは**1978年**に初めて世界遺産に選ばれた場所である。世界遺産は、人類が作り上げた「文化遺産」、地球の歴史や動植物の進化を伝える「自然遺産」、両方の価値を持つ「複合遺産」に分けられる。2024年8月時点では、世界遺産の総数は1223件である。

02 ①屋久島
②白神山地
③法隆寺地域の仏教建造物
④姫路城

03 佐渡島の金山

2024年に**文化遺産**として登録された。

12 社会・地理・歴史
日本史

- 江戸の三大改革を行ったのは**徳川吉宗（享保の改革）、松平定信（寛政の改革）、水野忠邦（天保の改革）**
- 各時代の有名な制度（**大宝律令**や**武家諸法度**）は内容と一緒に覚えよう

各時代のキーワード

時代	おもな制度
飛鳥	十七条憲法 聖徳太子（厩戸王）によって604年に作られた。
奈良	大宝律令 701年に制定された。初めて天皇を中心とした本格的な体制がとられた。 租庸調制 中国と朝鮮の律令制のもとでの租税制度。租税とは今の税金のこと。 墾田永年私財法 聖武天皇のもと743年に発布された。新たに開墾した耕地の永年私財法を認めるもの。
平安	院政 上皇が天皇の代わりに政務を行う政治体制。平家滅亡のあと、白河上皇が行った。
鎌倉	御成敗式目（貞永式目） 1232年に、武家社会での習慣、道徳をもとに制定された武士政権のための法令。

時代	おもな制度
室町	建武式目 足利尊氏が1336年に発布した政治方針の要領。
安土桃山	太閤検地 豊臣秀吉が日本全土で行った土地の調査。
江戸	武家諸法度 江戸幕府が諸大名の統制のために定めたもの。徳川秀忠によって発布された。
明治	廃藩置県 1871年に行われた行政改革。それまで全国に300弱あった藩を廃止し、府県に改めた。 大日本帝国憲法 1890年に施行された憲法。主権は天皇にあり、兵役、納税、教育が義務とされた。
昭和	日本国憲法 1947年に施行された憲法。主権は国民。日本の法体系における最高法規。

室町時代は室町幕府が存在した期間とする場合と、南北朝統一までの南北朝時代、応仁の乱後の戦国時代の間を室町時代とする考え方もある。

問題	解答・解説
01 **邪馬台国**（やまたいこく）について記述がある中国の書を（　　）という。	**01** 魏志倭人伝 邪馬台国は**2～3世紀**に日本列島に存在した国の1つ。
02 飛鳥時代に官僚や貴族に対する**道徳的規範**を表したものを（ ① ）、朝廷に仕える**臣下の等級**を分ける制度を（ ② ）という。	**02** ①十七条憲法 ②冠位十二階 飛鳥時代は、推古天皇が即位した592年から、藤原京への遷都が完了した694年の102年間を指す（諸説あり）。
03 奈良時代に天皇への**中央集権**を図って制定されたのは（ ① ）。その下での**租税制度**は（ ② ）。	**03** ①大宝律令、②租庸調制 奈良時代は、710年に平城京に都が置かれたときから、794年の平安京遷都までの**85年間**を指す。
04 **次の文に適する乱を答えよ。** ①天智天皇（てんじてんのう）のあとの**皇位継承**を巡る戦い ②**崇徳上皇**（すとくじょうこう）と**後白河天皇**（ごしらかわてんのう）の兄弟による実権争いが発端となり、源氏と平氏も加わる ③**平清盛**（たいらのきよもり）が藤原信頼を滅ぼして**源義朝**（みなもとのよしとも）を討ちとり平氏が全盛期を迎える	**04** ①壬申（じんしん）の乱、②保元（ほうげん）の乱、③平治の乱 壬申の乱：672年、大海人皇子と大友皇子による皇位継承の内乱。 保元の乱：平安時代末期の、皇位継承や内紛による政変。 平治の乱：1159年、京都で起こった内乱。平氏政権が出現。
05 **次の近代の戦争を古い順に答えよ。** ①太平洋戦争　②日露戦争 ③日中戦争　④日清戦争 ⑤第一次世界大戦	**05** ④（1894）→②（1904）→⑤（1914）→③（1937）→①（1941） 明治以後の戦争の流れは覚えておくこと。
06 **次の出来事と関係の深い人物を答えよ。** ①大化の改新　②南北朝統一 ③太閤検地　④享保の改革 ⑤大政奉還（たいせいほうかん）	**06** ①中大兄皇子、②足利義満、③豊臣秀吉、④徳川吉宗、⑤徳川慶喜 出来事と、それにまつわる主要人物を一緒に覚えておくこと。

13 社会・地理・歴史
世界史

ポイントは
ココ！

- メソポタミア文明、エジプト文明、インダス文明、黄河文明を**四大文明**と呼ぶ
- アメリカに到達した探検家は**コロンブス**
- **真珠湾攻撃**は第二次世界大戦中の出来事

過去に起きた2つの大戦

第一次大戦時、イタリアは三国同盟を結んでいたが、中央同盟国には参加せず、連合国側に参加した。また、第二次大戦において日本は、1941 年に英国領マレー半島を攻撃、ハワイ真珠湾攻撃で参戦した。

問題

01 **チグリス川**と（ ① ）川によって支えられた（ ② ）文明は、（ ③ ）形文字を使用し、その文字で書かれた（ ④ ）法典がある。

02 西インド諸島に到達したのは（ ① ）で、初めて**世界一周**を行ったのは（ ② ）である。

03 **次の文に適する条約・同盟を答えよ。**

①中央ヨーロッパで続いた**三十年戦争の講和条約**
②ドイツ、オーストリア・ハンガリー、イタリアによる**軍事同盟**
③1878年に締結された**ロシアとオスマン帝国**の戦争に関する講和条約
④第一次世界大戦における**連合国とドイツ**の間で締結された講和条約
⑤第二次世界大戦後に締結された、**連合国と日本**との戦争状態を終結させた平和条約

04 **次の出来事を年代順に並べよ。**

①ソビエト社会主義共和国連邦の樹立
②国際連盟の発足
③世界恐慌
④第一次世界大戦
⑤ヒトラーがナチス総統となる
⑥ライト兄弟の初飛行

解答・解説

01 **①ユーフラテス**
②メソポタミア、③くさび、
④ハンムラビ

四大文明は「文明のゆりかご」とも呼ばれている。

02 **①コロンブス**
②マゼラン（マガリャンイス）

大航海時代は15世紀半ば～17世紀半ばまで続き、おもにスペイン、ポルトガルを中心に航海が行われた。

03 **①ヴェストファーレン（ウェストファリア）条約**
②三国同盟
③サン＝ステファノ条約
④ヴェルサイユ条約
⑤サンフランシスコ平和条約

ヴェストファーレン条約によって、ヨーロッパでのカトリックとプロテスタントの宗教戦争が終わった。戦争史は、戦争終結時の条約とともに覚えておくこと。

04 **⑥（1903）→④（1914～1918）→②（1920）→①（1922）→③（1929）→⑤（1934）**

ソビエト社会主義共和国連邦はソ連と呼ばれ、1991年まで存在した。

おさらいしよう！

実力テスト

問題

空欄に入る語句を答えよ。

01 日本国民全員が何らかの医療保険に加入することを（　　）という。

02 現在の日本国民の死因の１位は（　　）である。

03 （　　）とはエアコンや自動車の排熱などで都市の過密地域の気温が周辺地域よりも高くなることである。

04 人間では全体を把握するのが困難な膨大なデータを（　　）といい、高性能化したコンピュータでの活用が期待される。

05 日本の標準時は兵庫県の（　　）である。

06 47 都道府県のうち隣接する都道府県が最も多いのは（　　）である。

07 梅雨は（　　）気団とオホーツク海気団がぶつかり合うことによって生じる雨季である。

08 世界一面積の大きい国は（　　）である。

09 岐阜県の（　　）は合掌造り集落が著名な世界遺産である。

10 江戸幕府が諸大名の統制のために発布した制度を（　　）という。

解答

01	02	03	04	05
国民皆保険 ➡ P50	がん ➡ P52	ヒートアイランド現象 ➡ P56	ビッグデータ ➡ P58	明石市（東経135°） ➡ P60
06	**07**	**08**	**09**	**10**
長野県 ➡ P64	小笠原 ➡ P66	ロシア ➡ P68	白川郷 ➡ P70	武家諸法度 ➡ P72

[テーマ❹]

文化・スポーツ

社会人にとって、文化やスポーツなどの知識は
教養として欠かせないものです。
ここでは、哲学、音楽、演劇などの文化に始まり、
サッカーや野球、オリンピックなどの
スポーツ知識について解説します。

1 文化・スポーツ
西洋宗教・思想・哲学

ポイントはココ！

- 西洋の宗教である**キリスト教、ユダヤ教、イスラム教**は一神教である
- 西洋哲学は**議論を重ねて**真理にたどり着く
- ニーチェ「神は死んだ」などの**名言**を覚えよう

西洋の三大宗教と思想家・哲学者

●一神教とは
ただ1つの神のみを
信じる宗教のこと

ユダヤ教
開祖：モーセ
神：ヤハウェ
聖典：タナハ（旧約聖書）

キリスト教
開祖・神：イエス・キリスト
聖典：旧約聖書、新約聖書
キリストが説いた無償の
愛をアガペーと呼ぶ

イスラム教
開祖：ムハンマド
神：アッラー
聖典:クルアーン（コーラン）
アッラー以外を信ずる
偶像崇拝を禁止している

●代表的な思想家・哲学者とキーワード

【古代ギリシャ】

ソクラテス	「無知の知」・問答法
プラトン	イデア論・理想主義

【フランス】

デカルト	「我思う、ゆえに我あり」・演繹法
パスカル	「人間は考える葦である」・パスカルの三角形

【イギリス】

ベーコン	「知は力なり」・経験論・帰納法
アダムスミス	神の見えざる手・国富論

【ドイツ】

カント	ドイツ観念論・純粋理性批判
ニーチェ	「神は死んだ」・虚無主義・実存主義

西洋に限らず、世界の三大宗教とした場合、キリスト教、イスラム教、仏教を指すことが多い。釈迦、ソクラテス、孔子、キリストを世界史の四聖人と呼ぶ。

問題	解答・解説

01 西洋三大宗教のように**ただ１つの神のみ**を信仰する宗教を（　　）という。

01 **一神教**
3つの宗教のすべてが**「神が天地を創造した」**と考えている。

02 キリストが説いた**「無償の愛」**を（ ① ）という。イスラム教では**アッラー**以外を信じる（ ② ）を厳しく禁じている。

02 **①アガペー、②偶像崇拝**
偶像崇拝とはその言葉のとおり**「偶像」を崇拝する行為**のこと。プロテスタントにおいては十字架への祈りも偶像崇拝に当たる。

03 **次の言葉に関係の深い人物を答えよ。**
①「無知の知」
②「我思う、ゆえに我あり」
③「人間は考える葦である」

03 **①ソクラテス、②デカルト、③パスカル**
「無知の知」とは**「知らないことを自覚する」**という意味。ソクラテスの哲学の出発点。

04 **ドイツ観念論**を説いた（ ① ）は（ ② ）・実践理性批判・判断力批判の**三批判書**を著している。

04 **①カント、②純粋理性批判**

05 **演繹法**（えんえきほう）は（ ① ）が、**帰納法**（きのうほう）は（ ② ）が提唱している。

05 **①デカルト、②ベーコン**
演繹法：知っているルールや法則を用いて物ごとに結論を出す。
帰納法：複数の物ごとから共通点を見出し、結論を出す。

06 **合理的な世界観**を説き、人間性の解放を目指した思想を（　　）という。

06 **啓蒙思想**
イギリスの**ロック**やフランスの**モンテスキュー、ルソー**が有名である。

07 **「現実に存在する自分」**を出発点とし、本来の生き方を取り戻そうとする思想を実存主義といい、その先駆者は著書で**「神は死んだ」**とした（　　）である。

07 **ニーチェ**
デンマークの**キルケゴール**も実存主義の先駆者の１人とされる。

東洋宗教・思想・哲学

ポイントはココ!

- 東洋宗教は**中国三大宗教**（儒教・道教・仏教）と**ヒンドゥー教**
- 東洋哲学は**先に真理が存在**し、議論を行う
- 日本の**仏教の宗派と開祖**を覚えよう

中国の三大宗教

儒教

【考え方】
人を愛し、他者を思いやること（仁）により、社会の秩序が保たれ、感情を形として表すための規則や慣行（礼）によって社会が安定する。

【主要人物】
孔子（論語）・孟子（性善説）・荀子（性悪説）・朱熹（朱子）

道教

【考え方】
さまざまな要素が融合して自然発生した多神教的宗教。理想を追い求めずに「道」に任せて生きれば物ごとはよい方向に向かっていく。

【主要人物】 老子・荘子

仏教

【考え方】
人生は思いどおりにならないと知ることから始め、すべては移り変わり、つながりの中で変化している。これを知り、あらゆることに一喜一憂せず心が安定した状態になれば、幸せに暮らせる。

【主要人物】 釈迦（仏陀）

日本の仏教は 6 世紀半ばに伝来したといわれるが、宗派により時期や伝来元は異なる。伝統的な宗派としては 13 宗が存在する。

問題	解答・解説

01 **孔子**は**儒教の開祖**であり、その教えをまとめたものが（　　）である。

01 論語

論語は孔子の**弟子**たちがまとめた。

02 中国の戦国時代に、**兵法や軍備**などについて、論を説いた人びとのことを兵家といい、（ ① ）や（ ② ）が代表的な兵法書である。

02 ①呉子、②孫子

『呉子』は春秋戦国時代に著された。**孫子は春秋時代の武将**の名である。

03 **この世のものは絶え間なく変化し続けている**ということを仏教用語で（　　）という。

03 諸行無常

世の中のあらゆるものは、すべてがお互いに影響を与え合って存在しているということを**「諸法無我」**という。

04 **次の日本の仏教の宗派を答えよ。**

①**南無阿弥陀仏と唱える**ことで極楽浄土へ生まれゆくことを願う
②**鎌倉仏教**ともいい、阿弥陀如来を信ずるものは救われると考える
③生きているうちに仏となる即身成仏を説く

04 ①浄土宗、②浄土真宗、③真言宗

浄土宗の開祖は**法然**（ほうねん）。浄土真宗の開祖は**親鸞**（しんらん）。真言宗の開祖は**空海**（くうかい）。**天台宗と日蓮宗**もある。平安仏教は天台宗、真言宗が代表的。鎌倉仏教は浄土宗、浄土真宗、日蓮宗、時宗、臨済宗、曹洞宗が代表的。

次の著書の作者を下の語群から選べ。

05 ①古寺巡礼・**倫理学**
②古事記伝・玉くしげ
③**遠野物語**・桃太郎の誕生
④農業本論・**武士道**
⑤**学問のすゝめ**・西洋事情

語群

新渡戸稲造（にとべいなぞう）、本居宣長（もとおりのりなが）、和辻哲郎（わつじてつろう）、福沢諭吉（ふくざわゆきち）、柳田國男（やなぎたくにお）

05 ①和辻哲郎
②本居宣長
③柳田國男
④新渡戸稲造
⑤福沢諭吉

本居宣長は『源氏物語』を研究し、『古事記伝』を著した。福沢諭吉は「天は人の上に人を造らず人の下に人を造らず」という有名な言葉を残した。

3 文化・スポーツ
音楽

問題

次の作品の作曲家を下の語群から選べ。

01
①フィガロの結婚
②トッカータとフーガ
③ハンガリー舞曲
④交響曲第９番 新世界より
⑤ワルキューレの騎行

語群

ドボルザーク、バッハ、ワーグナー、モーツァルト、ブラームス

次の音楽用語として正しいものを下の語群から選べ。

02
①カルテット　②クインテット
③コンチェルト　④シンフォニー
⑤プレリュード
⑥伴奏のない合唱曲

語群

前奏曲、協奏曲、交響曲、ア カペラ、四重奏、五重奏

次の作曲家の作品として正しいものを下の語群から選べ。

03
①シューベルト　②ハイドン
③ドビュッシー　④シュトラウス

語群

美しく青きドナウ／皇帝円舞曲、魔王／交響曲第８番「未完成」、皇帝／天地創造、月の光／海

解答・解説

01
①モーツァルト
②バッハ
③ブラームス
④ドボルザーク
⑤ワーグナー

02
①四重奏
②五重奏
③協奏曲
④交響曲
⑤前奏曲
⑥ア カペラ

03
①魔王／交響曲第８番「未完成」
②皇帝／天地創造
③月の光／海
④美しく青きドナウ／皇帝円舞曲

問題	解答・解説

04 **17世紀から18世紀半ば**に起こった西洋の音楽様式を（ ① ）といい、その後**古典派**、そして**19世紀**の（ ② ）へと変化していく。

04 ①バロック、②ロマン派

バロック音楽の代表的な作曲家は**バッハやヘンデル**。ロマン派の時代はクラシック音楽の全盛期であり、**ショパン、リスト、ワーグナー**など、多数の作曲家が活躍した。

05 **古典派**の著名な作曲家は、ハイドン、モーツァルト、（　　）。

05 ベートーベン

「楽聖」と呼ばれ、古典派音楽の集大成かつロマン派音楽の先駆け。

06 ドイツ三大Bと呼ばれる3人の作曲家を答えよ。

06 バッハ、ベートーベン、ブラームス

07 **次の説明に適する作曲家を答えよ。**

①作曲のほとんどを**ピアノ独奏曲が占め、『夜想曲』や『ワルツ』**などのピアノ曲が有名である
②**歌曲の王**とも呼ばれ、作品に**『野ばら』や『アヴェ・マリア』**がある
③**鍵盤楽器の演奏家**としても有名で、西洋音楽の基礎を構築したということで**音楽の父**ともいわれる。経歴の多くを**教会音楽家**として過ごした

07 ①ショパン
②シューベルト
③バッハ

ショパンはポーランド生まれで、**「ピアノの詩人」**とも呼ばれた。シューベルトはオーストリアの作曲家で、**「歌曲の王」**と呼ばれた。バッハは**バロック音楽**の重要な作曲家である。

08 **次の日本の歌曲の作曲家を答えよ。**

①赤とんぼ、待ちぼうけ
②お正月、荒城の月
③故郷、春が来た

08 ①山田耕筰、②滝廉太郎、③岡野貞一

『長崎の鐘』など、5000曲以上作った古関裕而（こせきゆうじ）は、NHK連続テレビ小説の主人公となった。

4 文化・スポーツ
美術・建築

問題	解答・解説
01 **次の作品は**ルネサンス三大巨匠**の作品である。作者を答えよ。** ①最後の晩餐、モナリザ ②最後の審判、ダビデ像 ③アテネの学堂、大公の聖母	**01** ①レオナルド・ダ・ビンチ ②ミケランジェロ ③ラファエロ 芸術が最高潮にあった盛期ルネサンス時代に活躍した。
02 **モネ**の作品に由来する**19 世期後半**のフランスの絵画を中心とした美術形式を（　　　）という。	**02** 印象派 『印象・日の出』に由来する。19世紀後半にフランスで起こった美術運動。**モネ、セザンヌ、ピサロ、シスレー**などが該当する。
次の 20 世紀の美術家の作品として正しいものを下の語群から選べ。 **03** ①ピカソ　②ダリ　③マティス ④アンディ・ウォーホル 語群 赤いハーモニー／ジャズ、キャンベルスープの缶／マリリン・モンローの肖像、泣く女／鏡の前の少女、記憶の固執／王家の心臓	**03** ①泣く女／鏡の前の少女 ②記憶の固執／王家の心臓 ③赤いハーモニー／ジャズ ④キャンベルスープの缶／マリリン・モンローの肖像 ピカソ：**キュビスム**の創始者 ダリ：**シュルレアリスム**の代表的画家 マティス：**フォーヴィスム**のリーダー的存在 アンディ・ウォーホル：**ポップアート**の旗手
ヨーロッパにおける建築様式に関係の深い建物を下の語群から選べ。 **04** ①ロマネスク建築　②ゴシック建築 ③バロック建築 語群 ピサ大聖堂、ノートルダム大聖堂、トレヴィの泉	**04** ①ピサ大聖堂 ②ノートルダム大聖堂 ③トレヴィの泉

問題	解答・解説

05 次の印象派作品の作者を答えよ。

①ひまわり／夜のカフェテラス
②タヒチの女／死霊が見ている
③桟敷席／ムーラン・ド・ラ・ギャレットの舞踏会
④印象・日の出／ひなげし
⑤考える人／地獄の門

05 ①ゴッホ
②ゴーギャン
③ルノワール
④モネ
⑤ロダン

次の日本の美術家の作品として正しいものを下の語群から選べ。

06 ①伊藤若冲（いとうじゃくちゅう） ②菱川師宣（ひしかわもろのぶ）
③喜多川歌麿（きたがわうたまろ） ④葛飾北斎（かつしかほくさい）
⑤歌川国芳（うたがわくによし）

語群

仙人掌群鶏図障壁画（さぼてんぐんけいず）、富嶽三十六景（ふがくさんじゅうろっけい）、見返り美人図、おぼろ月猫の盛、ビードロを吹く娘

06 ①仙人掌群鶏図障壁画
②見返り美人図
③ビードロを吹く娘
④富嶽三十六景
⑤おぼろ月猫の盛
円山応挙（まるやまおうきょ）『雲松図屏風』、歌川広重（うたがわひろしげ）『東海道五十三次』、俵屋宗達（たわらやそうたつ）『風神雷神図屏風』なども有名。

次の現代建築家の作品として正しいものを下の語群から選べ。

07 ①ガウディ ②アルヴァ・アアルト
③フランク・ゲーリー
④丹下健三 ⑤黒川紀章

語群

国立代々木競技場、アカデミア書店、国立新美術館、サグラダ・ファミリア、ウォルト・ディズニー・コンサートホール

07 ①サグラダ・ファミリア
②アカデミア書店
③ウォルト・ディズニー・コンサートホール
④国立代々木競技場
⑤国立新美術館
フランク・ロイド・ライトが設計した帝国ホテルなども有名。現代建築家の代表的作品も覚えておくこと。

5 文化・スポーツ
映画・演劇

問題	解答・解説
01 **世界三大映画祭**を開催国とともに答えよ。	**01** カンヌ国際映画祭→フランス ベルリン国際映画祭→ドイツ ベネチア国際映画祭→イタリア
02 **映画芸術科学アカデミー**が選定する映画賞を（　　）という。	**02** アカデミー賞 2024年は宮崎駿監督の『君たちはどう生きるか』が長編アニメーション賞、山崎貴監督の『ゴジラ-1.0』が視覚効果賞を受賞した。
03 該当期間中に**ブロードウェイで上演**された演劇・ミュージカルを対象とした賞を（ ① ）、**米国のテレビ番組**に対する賞を（ ② ）という。	**03** ①トニー賞 ②エミー賞 2024年、トニー賞はミュージカル部門の作品賞を**『アウトサイダー』**が受賞し、エミー賞は**『SHOGUN 将軍』**が過去最多となる18部門を受賞した。
04 出演者の台詞だけではなく、**大半の部分を歌手による歌唱**で進められる様式を（　　）という。	**04** オペラ オペラは**歌劇**とも呼ばれる。世界で最も有名な歌劇場は**イタリア・ミラノにあるスカラ座**。
05 人を笑わせることを主体とした演劇やドラマを（　　）という。	**05** 喜劇 ハッピーエンドに終わらない演劇は**悲劇**という。

次の映画は古典文学を原作とするといわれる。その作品を下の語群から選べ。

問題	解答・解説
06 ①プリティ・ウーマン　②蜘蛛巣城 ③乱　④オー・ブラザー！ **語群** オデュッセイア、ピグマリオン、リア王、マクベス	**06** ①ピグマリオン ②マクベス ③リア王 ④オデュッセイア

問題

解答・解説

07 **ベルリン国際映画祭**で2002年に**宮崎駿監督**の（　①　）が最高賞である（　②　）を受賞した。

07 ①千と千尋の神隠し
②金熊賞
1959年、黒澤明監督の『隠し砦の三悪人』が銀熊賞受賞。

08 **ベネチア国際映画祭**で1997年に**北野武監督**の（　①　）が最高賞である（　②　）を受賞した。

08 ①HANA-BI
②金獅子賞
カンヌ国際映画祭の最高賞は**パルム・ドール**である。

09 アカデミー賞で受賞者に贈られる**人型**の彫像を（　　　）という。

09 オスカー
2024年、『オッペンハイマー』が作品賞を含む最多7部門を受賞。

次のアカデミー賞受賞映画の作品を下の語群から選べ。

10 ①ナチスドイツから逃れ、**子供たちを連れてスイスに脱出した女性**を描いたミュージカル映画
②マフィアの抗争と家族の絆を描き、無名だった**フランシス・フォード・コッポラ監督**を有名にした
③非人間的な管理体制の**精神病院**に送られた男が尊厳を取り戻すべく徹底的に闘う物語

語群

カッコーの巣の上で、サウンド・オブ・ミュージック、ゴッドファーザー

10 ①サウンド・オブ・ミュージック
②ゴッドファーザー
③カッコーの巣の上で
アカデミー賞の受賞部門は、作品賞、監督賞、主演男優賞、主演女優賞、助演男優賞、助演女優賞、長編アニメ映画賞、国際長編映画賞、脚本賞、脚色賞、衣装デザイン賞、視覚効果賞、長編ドキュメンタリー賞、メイクアップ&ヘアスタイリング賞、撮影賞、編集賞、美術賞、作曲賞、歌曲賞、音響賞、短編アニメ映画賞、短編ドキュメンタリー賞、短編実写映画賞がある。

6 文化・スポーツ
伝統芸能

問題

01 **次の文章に適した日本の伝統芸能は何か。**

①神に奉納する**神楽**やお盆の時期に死者を供養する**盆踊り**など
②**能・狂言、歌舞伎、人形浄瑠璃**の3つに大きく分けられる
③最後にオチのある話をする**落語**や手品やマジックを行う**奇術**など
④**琵琶曲**や**尺八楽**などの邦楽や小唄、民謡を含む唄など
⑤茶道、華道、武道のように**芸能・技芸を体系化**したもの

次の歌舞伎の用語についての説明で正しいものを下の語群から選べ。

02 ①歌舞伎に登場する**女性役**
②興行の始まりで、俳優の**お披露目**をすること
③俳優が舞台の上から客に向かってするあいさつ
④俳優が**名前を継ぐ**こと
⑤登場人物の気持ちが盛り上がる場面で動きを一瞬止めて**印象的なポーズ**をとること

語群

口上、顔見世、襲名、見得、女方

解答・解説

01 ①舞踊
②演劇
③演芸
④音楽
⑤芸道

農作祈願や厄除けなど、神に願うために捧げる歌や舞などが芸能の始まりといわれる。神楽、田楽、雅楽、舞楽、猿楽、白拍子、延年、曲舞などがある。

02 ①女方（女形）
②顔見世
③口上
④襲名
⑤見得

江戸時代初期、派手な衣装を好んだり常軌を逸した行動に走ったりする者のことを「かぶき者」と呼んだ。その「かぶき者」の動きや装いを取り入れた**「かぶき踊り」**が歌舞伎の語源といわれている。

問題	解答・解説
03 室町時代に（ ① ）と（ ② ）の親子が**猿楽**（さるがく）を歌舞主体の芸にし、現在の能の形ができた。	**03** ①観阿弥（かんあみ）、②世阿弥（ぜあみ） **猿楽**とは室町時代にあった日本の伝統芸能のこと。
04 能楽で、お面をつけておもに歌謡や舞踏からなるものを（ ① ）、お面をつけることが少なく、**セリフも多く**、笑える物語が中心になるものを（ ② ）という。	**04** ①能、②狂言 明治時代以降、**能と狂言、式三番（翁）**を含めた芸能を「能楽」と呼んでいる。
05 能の演目にあって、演者が神となり**天下泰平、国土安穏を祈願**する舞を舞う神聖な一曲を（　　）という。	**05** 翁（おきな） 能は舞台のシンプルさが特徴で、開かれた空間で行われる。
06 能は１日に（　　）番を上演することが正式とされる。	**06** 五 上演順に、**神・男・女・狂・鬼**の五番立てとなる。時間がかかるため、現在は１日に五番を演じることはほとんどない。
07 講談・落語などの技芸を観客に見せる**興行小屋**を（　　）という。	**07** 寄席 最後に**必ず「オチ」がつく話**をすることから「落語」と呼ばれる。
08 寄席において、**最後に出る**資格を持つ落語家を（　　）という。	**08** 真打 前座、二ツ目、真打の３段階がある。
09 （　　）とは寄席で芸を演じる**一段高い場所**のことを指す。	**09** 高座 舞台式の高座が定着したのは江戸末期である。
10 歌舞伎や浄瑠璃で、江戸時代の庶民の**日常からかけ離れた**話題を扱ったものを（ ① ）、**日常の話題や風俗**を扱ったものを（ ② ）という。	**10** ①時代物、②世話物 時代物は『仮名手本忠臣蔵』や『義経千本桜』、世話物は『曾根崎心中』や『東海道四谷怪談』が有名。

7 文化・スポーツ
サッカー

問題

01 **国際サッカー連盟**の略称は（　　　）である。

02 **ヨーロッパサッカー連盟**の略称は（　①　）で、ヨーロッパのクラブチーム1位を決める戦いを（　②　）という。

03 日本プロサッカーリーグの略称を（　　　）という。

04 **日本女子サッカーリーグ**は3部制になっており、1・2部の愛称は（　　　）リーグである。

次の文について正しい用語を下の語群から選べ。

05 ①**無失点**で勝利したときに使われることが多い
②1人の選手が**1試合で3得点**することを（　　　）という
③（　　　）を1試合で**2枚**もらうと退場となり、チームは人数的に不利になってしまう

語群

ハットトリック、イエローカード、クリーンシート

解答・解説

01 FIFA
4年に一度、FIFAワールドカップを行う。加盟協会の代表チームによって争われる。

02 ①UEFA
②チャンピオンズリーグ
2023-24は**レアル・マドリード**が**大会最多となる15回目の優勝**を果たした。

03 Jリーグ
Jリーグは3部制となっている。

04 なでしこ
日本女子プロサッカーリーグの愛称はWEリーグという。

05 ①クリーンシート
②ハットトリック
③イエローカード
自由に行動できるエリアを指す**「スペース」**、観客を魅了するプレーをする選手に使われる**「ファンタジスタ」**といった用語もある。

問題

解答・解説

次の国のサッカーリーグの名称を下の語群から選べ。

06 ①イギリス ②ドイツ ③イタリア ④スペイン

語群
ブンデスリーガ、ラ・リーガ、セリエA、プレミアリーグ

06 ①プレミアリーグ
②ブンデスリーガ
③セリエA
④ラ・リーガ
ラ・リーガはリーガ・エスパニョーラともいう。

07 サッカーの試合会場の内外で暴力的行動・言動を行う**暴徒化した集団**を（　　　）という。

07 フーリガン
FIFAは暴力的な言動をした者に対し、試合会場内への入場禁止処置などさまざまな罰則を設けている。

08 日本がオリンピックで**銅メダル**を取ったのは（　　　）大会。

08 メキシコ
釜本邦茂は本大会で**アジア人初の得点王**となった。

09 1993年、イラクとのワールドカップ最終予選で、ロスタイムで点を失い、アメリカ大会の**出場権を逃した**ことを（　　　）の悲劇という。

09 ドーハ
カタールのドーハで行われた試合であることから「ドーハの悲劇」と呼ばれた。

10 （ ① ）年、FIFA女子ワールドカップでなでしこジャパンがアメリカを下し、**優勝**。（ ② ）が得点王、大会MVPに選ばれる。

10 ①2011、②澤穂希（さわほまれ）
試合は7月17日にフランクフルトで行われた。延長戦でも決着がつかず、PK戦の末、3対1で大会初優勝となった。

11 次の日本人選手は誰か。
①**ブラジルを完封した**「マイアミの奇跡」の立役者。ゴールキーパー
②ブラジルでただ一人成功した日本人選手。現在のサッカー人気の火付け役

11 ①川口能活（かわぐちよしかつ）
②三浦知良
通称、三浦カズ選手は国内現役最年長のプロサッカー選手であると同時に、Jリーグ発足当初からプレーを続ける唯一の現役選手である。

8 文化・スポーツ
野球

問題	解答・解説
01 日本プロ野球の組織の略称を（ ① ）といい、米国メジャーリーグの組織の略称を（ ② ）という。	**01** ①NPB、②MLB NPB は日本野球機構、MLB は Major League Baseball の略。
02 メジャーリーグの2つのリーグを（ ① ）と（ ② ）といい、どちらも**3地区**に分かれている。	**02** ①アメリカン・リーグ ②ナショナル・リーグ **各15球団**ずつ存在する。
03 日本プロ野球の2つのリーグを（ ① ）と（ ② ）という。	**03** ①セントラル・リーグ ②パシフィック・リーグ **各6球団**ずつ存在する。
04 メジャーリーグでは両リーグとも（ ① ）で地区優勝を決め、次の（ ② ）でリーグチャンピオンを決定する。両リーグのチャピオンが優勝決定戦を行い、ワールドチャンピオンを決定する。	**04** ①レギュラーシーズン ②ポストシーズン 優勝決定戦は**ワールドシリーズ**。ナショナル・リーグ、アメリカン・リーグのそれぞれから、その年に最も活躍した投手1人が選ばれる賞を**「サイ・ヤング賞」**という。
05 日本プロ野球は、両リーグとも（ ① ）でリーグ優勝を決める戦いをする。そのあと、（ ② ）という**上位3チームのトーナメント戦**で、日本チャンピオンを決定する日本シリーズの出場権を争う。	**05** ①ペナントレース ②クライマックスシリーズ 優勝したチームにペナントが贈られることから、ペナントレースと呼ばれる。
06 日本シリーズは全（ ）試合。	**06** 7 **4試合**勝てば日本一になれる。

問題	解答・解説

07 **2006年**に始まった国別対抗戦を何というか。

07 ワールドベースボールクラシック（WBC）

日本は**第1回と第2回、第5回で優勝**している。

08 野球は（　　　）大会からオリンピックの正式種目となった。

08 バルセロナ

1992年以降、五大会で実施されたが、2012年ロンドン大会で正式種目から外された。

09 三冠王とは（ ① ）と（ ② ）と（ ③ ）が1位になること。

09 ①本塁打、②打率、③打点

10 **次のメジャーリーガーは誰か。**

①シーズン200本安打を10年連続達成

②最多奪三振、新人王受賞。トルネード投法が有名

③アジア人初のワールドシリーズMVP受賞。国民栄誉賞受賞

10 ①イチロー
②野茂英雄
③松井秀喜

歴代日本人メジャーリーガーは70人を超える（2024年現在）。日本人史上初の選手は、1964年にサンフランシスコ・ジャイアンツに所属した村上雅則である。

次の文について、適する用語を下の語群から選べ。

11 ①無安打無得点試合

②飛球が捕らえられ、走者が元いた塁に触れ直してから進塁すること

③一連のプレイでアウトを2つ取ること

④3番から5番打者の総称

語群

ノーヒットノーラン、タッチアップ、クリーンアップ、ゲッツー

11 ①ノーヒットノーラン
②タッチアップ
③ゲッツー
④クリーンアップ

野村克也監督が志向した、頭脳を生かした野球を指す**「ID野球」**や、5回終了時点で10点差、または7回終了時点で7点以上の差をつけたチームを勝ちとする**「コールドゲーム」**といった言葉もある。

9 文化・スポーツ
その他のスポーツ

問題	解答・解説
01 **1896年**、（　①　）の呼びかけにより（　②　）で第1回オリンピックが開催された。	**01** **①クーベルタン、②アテネ** クーベルタンは近代オリンピックのシンボルである**五輪マークも考案**した。
02 （　　　）は**身体障害者の最高峰のスポーツ大会**として、オリンピックと同じ開催地で行われる。	**02** **パラリンピック** 1960年に開催された第9回国際ストーク・マンデビル競技大会が現在は第1回パラリンピックとされている。
03 日本が初めてオリンピックに参加したのは（　①　）年の（　②　）大会である。	**03** **①1912** **②ストックホルム**
04 オリンピックにおける日本初のメダルは**1920年のアントワープ大会**の（　　　）による銀メダルである。	**04** **熊谷一弥** テニスでメダルを獲得した。
05 オリンピックにおける日本初の金メダルは**1928年**の（　①　）大会で、陸上の（　②　）によるものである。	**05** **①アムステルダム** **②織田幹雄** 三段跳びで金メダルを獲得した。
06 **次の日本人金メダリストを答えよ。** ①女子レスリングで**オリンピック4連覇**を成し遂げた ②アジアでは初となる**冬季オリンピックフィギュアスケートでの2連覇**を達成 ③オリンピックの**柔道において三連覇**を成し遂げた唯一の選手	**06** **①伊調馨**（いちょうかおり） **②羽生結弦**（はにゅうゆづる） **③野村忠宏** 伊調馨はアテネ、北京、ロンドン、リオデジャネイロの4大会で金メダルを獲得し、2016年に**国民栄誉賞**を受賞した。野村忠宏は1996年のアトランタ、2000年のシドニー、2004年のアテネ大会で連覇を果たした。

問題	解答・解説
07 テニスの（　①　）、全米オープン、全仏オープン、全豪オープンの**4大会**を（　②　）という。	**07** ①ウィンブルドン選手権 ②グランドスラム 4大会とオリンピックを制覇することを**ゴールデン・スラム**と呼ぶ。
08 ゴルフの（　①　）、全米プロゴルフ選手権、全米オープン、全英オープンを四大（　②　）という。	**08** ①マスターズ ②メジャー選手権 同一年のメジャー選手権をすべて制覇することを**グランドスラム**という。
09 フィギュアスケートの**ISUグランプリシリーズ2023**の6つの開催国はアメリカ、カナダ、（　　　）、中国、フィンランド、日本である。	**09** フランス ISUグランプリシリーズは、6か国で開催される6大会と、その上位選手が出場する**グランプリファイナル**を含めた総称である。
10 男子体操競技の**6種目**には、鉄棒、（　①　）、あん馬、跳馬、つり輪、（　②　）がある。	**10** ①ゆか ②平行棒
11 **五大マラソン大会**の開催都市はニューヨーク、シカゴ、ボストン、（　　　）、ロンドンである。	**11** ベルリン
12 大相撲は**日本相撲協会**が主催しており、本場所は初場所、春場所、夏場所、（　　　）場所、秋場所、九州場所の順に6場所となっている。	**12** 名古屋 横綱への昇進基準は横綱審議委員会の内規より「大関で2場所連続優勝、またはそれに準ずる成績を挙げた場合」とされる。
13 パリ2024オリンピックで初の金メダルを獲得した国は、（　①　）、（　②　）、（　③　）、（　④　）。	**13** ①グアテマラ ②セントルシア ③ドミニカ共和国 ④ボツワナ 7競技で19の世界新記録が更新された。

おさらいしよう！

実力テスト

問題

空欄に入る語句を答えよ。

01 西洋の宗教であるユダヤ教・キリスト教・（　　）は一神教である。

02 中国三大宗教とは（　　）・道教・仏教である。

03 バッハは17世紀から18世紀半ばに起こった（　　）音楽の著名な作曲家である。

04 『最後の晩餐』や『モナリザ』の作者は（　　）。

05 ガウディの著名な作品として未だ建築中の教会は（　　）である。

06 イタリアで行われる世界三大映画祭の1つは（　　）である。

07 寄席で、最後に必ずオチがつく話を（　　）という。

08 国際サッカー連盟の略称は（　　）。

09 アジア人初のワールドシリーズMVPを受賞した日本人メジャーリーガーは（　　）。

10 フィギュアスケートのISUグランプリシリーズ2023の6つの開催国はアメリカ、カナダ、（　　）、中国、フィンランド、日本である。

解答

01	02	03	04	05
イスラム教 ➡ P78	儒教 ➡ P80	バロック ➡ P82	レオナルド・ダ・ビンチ ➡ P84	サグラダ・ファミリア ➡ P84
06	**07**	**08**	**09**	**10**
ベネチア国際映画祭 ➡ P86	落語 ➡ P88	FIFA ➡ P90	松井秀喜 ➡ P92	フランス ➡ P94

[テーマ❺]

国語・文学・教養・マナー

日本語に関する知識は持っていたいもの。
ここでは、漢字の書き取り、読み取りだけでなく、
有名な短歌や俳句を出題。
また、社会人として最低限知っておきたい
ビジネスマナーをまとめました。

1 国語・文学・教養・マナー

漢字の書き取り

問題	解答・解説
次の文の下線部を漢字に直せ。	
01 **ヨウイ**には解決できない事態。	01 容易 容易く**（たやすく）**という訓読みもある。
02 **ザンシン**な手段に驚く。	02 斬新 **革新的・独創的**を意味する。
03 二人の性格は**タイショウ**的だ。	03 対照 **2つの違いが際立って**見えること。対称、対象との違いに注意。
04 彼の**コウセキ**は偉大だ。	04 功績 **優れた成果**。国や集団に尽くした立派なはたらき。
05 彼の演技は**カッサイ**を浴びた。	05 喝采 **声を上げて**褒めたてること。
06 ずる休みをしたことで**シッセキ**を受けた。	06 叱責 他人の失敗を**厳しく叱り**、咎めること。
07 この土地は戦争によって**コウハイ**した。	07 荒廃 建物や土地が**荒れ果てる**こと。
次の文の下線部を送り仮名に注意して漢字に直せ。	
08 パソコンの進化は**イチジルシイ**。	08 著しい **はっきりわかる**ほど目立つ。明白である。
09 彼の思想とは大きな**ヘダタリ**がある。	09 隔たり 間隔、開き。**隔るとすると「へなる」**と読み、さえぎる、離れているの意味になるので注意。

問題

次の文の下線部を漢字に直せ。
必要なものは送り仮名に注意して直せ。

10 態度を**ヤワラゲル**。

11 専門家に**ハカル**。

12 **マンシン**による失態。

13 意見を**ケントウ**する。

14 戦意を**ソウシツ**した。

15 白熱する試合に**コウフン**した。

16 先輩に**アコガレル**。

17 無駄な時間を**ツイヤス**。

18 高齢者を**ウヤマウ**。

19 **オソロシイ**出来事。

20 事業の必要性を**トク**。

解答・解説

10 和らげる
穏やかになる、なごやかになる。わかりやすくする。

11 諮る
意見を求めたり、相談したりすること。

12 慢心
おごり高ぶること、自慢する気持ち。

13 検討
よく調べ考えること。健闘、見当などとの違いに注意する。

14 喪失
失うこと。多くは抽象的な事柄についていう。

15 興奮
精神が高揚すること。

16 憧れる
理想とするものに**強く心がひかれる**。

17 費やす
金銭、時間、労力などを使うこと。

18 敬う
相手を尊んで、礼を尽くすこと。

19 恐ろしい
危険を感じて不安である。怖い。程度がはなはだしい。

20 説く
物事の事情や**成り行き**を説明する。道理や筋道を**わかりやすく**話す。

2 国語・文学・教養・マナー
漢字の読み取り

問題

次の文の下線部をひらがなに直せ。

01 長く続いた制度が**瓦解**した。

02 太陽光線を暗幕で**遮蔽**する。

03 **真摯**な態度で挑む。

04 **凄惨**な事故が起こった。

05 **和洋折衷**な料理。

06 農業に適した**肥沃**な土地。

07 **所詮**かなわぬ願いごと。

08 人生の**岐路**に立つ。

09 **目眩く**芸術の世界。

解答・解説

01 がかい
一部の乱れから**組織全体が壊れる**こと。

02 しゃへい
覆(おお)いをかけたりすることで**人目や光線からさえぎる**こと。

03 しんし
まじめで熱心なこと。

04 せいさん
目も当てられないほど**むごいさま**。

05 わようせっちゅう
日本風と西洋風の様式をともに取り入れること。

06 ひよく
土地が肥えていて**作物がよく育つ**こと。

07 しょせん
最後に落ち着くところ。

08 きろ
分かれ道。将来が決まるような重大な局面。

09 めくるめく
目が眩むような。眩いばかりの。

問題	解答・解説
10 条件を**緩和**した。	10 かんわ 厳しさや激しさを**和らげる**こと。
11 **不朽**の名作を楽しむ。	11 ふきゅう **朽ちない**。いつまでも価値を失わずにいること。
12 明らかな**語彙**不足だ。	12 ごい ある1つの地域や分野で使われる**単語総体**のこと。
13 **妖艶**な魅力を持つ。	13 ようえん **あやしいほどに**なまめかしく美しいこと。
14 **体裁**を気にするな。	14 ていさい 外から見た感じや様子。**外見**。
15 毎日の運動を**奨励**する。	15 しょうれい よいこととして**強く人に勧める**こと。
16 心の中で**葛藤**が続く。	16 かっとう 心の中に相反する感情が存在し、迷うこと。人と人が互いに譲らず、**いがみ合う**こと。
17 高級食材として**珍重**される。	17 ちんちょう 珍しいものとして大切にすること。
18 内戦終了で、**漸く**平和になる。	18 ようやく **やっとのこと**で。何とか。待ち望んでいたことが実現する。
19 傷害事件が**頻発**している。	19 ひんぱつ 事件や事故などが**たびたび起こる**こと。
20 力を**顕示**する。	20 けんじ わかるように**はっきりと示す**こと。

3 国語・文学・教養・マナー
類義語・対義語

問題

次の語句の類義語を下の語群から選べ。

01

①所有　②成長
③日常　④意外
⑤公正　⑥製作
⑦様子　⑧異国
⑨無遠慮　⑩他界

語群

状況、発育、平素、
平等、逝去、生産、外国、
無作法、所持、存外

次の語句の対義語を下の語群から選べ。

02

①延長　②圧勝
③単独　④簡単
⑤緊張　⑥演繹
⑦違法　⑧軽率
⑨低俗　⑩融解

語群

高尚、完敗、慎重、凝固、
共同、帰納、複雑、短縮、
合法、弛緩

解答・解説

01

①所持　②発育
③平素　④存外
⑤平等　⑥生産
⑦状況　⑧外国
⑨無作法　⑩逝去

02

①短縮　②完敗
③共同　④複雑
⑤弛緩　⑥帰納
⑦合法　⑧慎重
⑨高尚　⑩凝固

問題	解答・解説

03 次の語句が類義語の組み合わせになるように□に漢字１字を入れよ。

①冷淡・□情
②消息・□信
③専心・没□
④死去・□界
⑤見学・参□
⑥上達・習□
⑦用意・□備
⑧親類・□者
⑨無神経・無□着
⑩発祥・□源
⑪丁重・□切
⑫関与・□入

03
①薄
②音
③頭
④他
⑤観
⑥熟
⑦準
⑧縁
⑨頓
⑩起
⑪懇
⑫介

04 次の語句が対義語の組み合わせになるように□に漢字１字を入れよ。

①購入・□却
②勤勉・□惰
③軽蔑・□敬
④義務・権□
⑤厳格・□容
⑥解雇・□用
⑦栄転・左□
⑧簡易・□雑
⑨質素・□美
⑩削除・追□
⑪横柄・□虚
⑫威圧・懐□

04
①売
②怠
③尊
④利
⑤寛
⑥採
⑦遷
⑧煩
⑨華
⑩加
⑪謙
⑫柔

4 同音異義語・同訓異義語

問題	解答・解説

次の同音異義語を漢字で書き分けよ。

01
①美術に**カンシン**を持つ。
②好きな人の**カンシン**を得る。
③**カンシン**に堪えない事件。

01 ①関心 ②歓心 ③寒心

02
①保守と**カクシン**の争い。
②事態の**カクシン**に迫る。
③**カクシン**を持って答える。

02 ①革新 ②核心 ③確信

03
①有名劇団の**コウエン**を楽しみにする。
②無名の俳優が難役を**コウエン**した。
③教授の**コウエン**を聴講した。

03 ①公演 ②好演 ③講演

次の同訓異義語を漢字で書き分けよ。

04
①気が**ツ**く人間だ。
②空港に**ツ**く。
③仕事に**ツ**く。

04 ①付 ②着 ③就

05
①**マ**が悪い。
②人の言葉を**マ**に受ける。
③惨状を**マ**のあたりにする。

05 ①間 ②真 ③目

問題	解答・解説

次の同音異義語を漢字で書き分けよ。

06 ①**イギ**ある学生生活。
②裁定に**イギ**を申し立てる。

07 ①病気は**カイホウ**に向かう。
②校庭が**カイホウ**されている。
③奴隷を**カイホウ**した。

08 ①身元を**ショウカイ**する。
②恋人を両親に**ショウカイ**する。

次の同訓異義語を漢字で書き分けよ。

09 ①平和を**ノゾ**む。
②卒業式に**ノゾ**む。

10 ①時間を**ハカ**る。
②委員会に**ハカ**る。
③簡素化を**ハカ**る。

11 ①間違いを**セ**める。
②敵を**セ**める。

12 ①身の**マワリ**を清潔にする。
②家の**マワリ**が騒々しい。

解答・解説

06 ①意義
②異議

07 ①快方
②開放
③解放

08 ①照会
②紹介

09 ①望
②臨

10 ①計
②諮
③図

11 ①責
②攻

12 ①回り
②周り

5 国語・文学・教養・マナー
四字熟語

問題

次の四字熟語の□の中に当てはまる漢字を書け。

01 以心□心

02 □田引水

03 傲岸不□

04 勧善□悪

05 臨□応変

06 徹□徹尾

07 馬耳□風

08 感□無量

解答・解説

01 伝
黙っていても**気持ちが通じ合う**こと。

02 我
自分に都合よくはからうこと。

03 遜
自分をえらいと思い、**相手を見下す**こと。

04 懲
善事を勧め、**悪をこらしめる**こと。

05 機
その場に応じ、適切な処理をすること。

06 頭
初めから終わりまで。

07 東
人の意見や批評を**聞き流す**こと。

08 慨
深く身に染みて、**しみじみ**とした気持ちになること。

問題	解答・解説
09 不□戴天	09 倶 **恨みや怒り**が深いこと。
10 針小□大	10 棒 物ごとを**おおげさに**言うこと。
11 紆余□折	11 曲 事情が込み入って**複雑**なこと。
12 荒□無稽	12 唐 言うことが**でたらめで根拠がない**こと。
13 有象□象	13 無 **つまらない人や物**など。形のあるもの、ないものすべて。
14 □蓮托生	14 一 仲間が**行動や運命をともにする**こと。
15 千□一遇	15 載 **めったにない**チャンス。
16 □機一転	16 心 あることをきっかけとして気持ちを**すっかり入れ替える**こと。

6 国語・文学・教養・マナー
ことわざ・慣用句

問題	解答・解説

次の慣用句に体に関する語を入れて完成させよ。

01 （　　）が上がらない

02 （　　）が遠のく

03 （　　）を通す

04 （　　）が合う

05 （　　）が立つ

06 （　　）をくわえる

07 （　　）が痛い

08 （　　）が騒ぐ

09 （　　）が高い

10 （　　）を冷やす

01 頭
相手に圧倒されたりして**対等に振る舞えない**さま。

02 足
よく行っていたところに**行かなくなる**こと。

03 筋
筋道を立てること。

04 息
行動をする2人以上の間で**気分がぴったりと合う**さま。

05 顔
世間体を保つこと。

06 指
うらやましく思いながら、**何もできずにいる**こと。

07 耳
弱点をつかれてつらいということ。

08 血
興奮して、**感情がたかぶる**さま。

09 鼻
得意である、**誇りに思う**こと。

10 肝（きも）
危ない目にあって、**ひやり**とすること。

問題	解答・解説

次のことわざに適当な語句を入れて完成させよ。

11 雨降って（　　）固まる

12 火中の（　　）を拾う

13 三人寄れば（　　）の知恵

14 備えあれば（　　）なし

15（　　）を憎んで人を憎まず

16 二階から（　　）

17（　　）に腕押し

18（　　）にも衣装

19（　　）は気から

20（　　）は口に苦し

11 地
揉（も）めごとのあとは**よい結果**となること。

12 栗
人の利益のために危険を冒すこと。

13 文殊
平凡な人でも**三人集まればすばらしい考えが生まれる**こと。

14 憂い
日ごろから備えていればいざというときも心配がないこと。

15 罪
罪は憎むべきだが、それを**犯した人**まで憎むべきではないということ。

16 目薬
まわりくどくて**効果が得られない**さま。

17 暖簾（のれん）
なんの**手応えもない**さま。

18 馬子（まご）
どんな人でも**身なりで立派に見える**こと。

19 病
病気は**気持ち次第**ということ。

20 良薬
自分のためになる忠告は**素直に受け入れにくい**さま。

7 国語・文学・教養・マナー

敬語

問題	解答・解説

次の文の下線部の敬語の種類はどれか。
尊敬語・謙譲語・丁寧語から選べ。

01 13時に**うかがい**ます。

02 こちらを**ご覧ください**。

03 山田様のことは**存じ上げて**おります。

04 17時には社に**戻ります**。

05 お客様が**いらっしゃい**ます。

06 資料は**拝見し**ました。

次の言葉を正しく言い換えよ。

07 「言う」の尊敬語は（　　　）。

08 「言う」の謙譲語は（　　　）。

09 「見る」の尊敬語は（　　　）。

---

01 謙譲語
自分をへりくだる言葉。「お訪ねします」も同様。

02 尊敬語
相手を立てる言葉。「ご覧」は「見る」の尊敬語にあたる。

03 謙譲語
「知る」「思う」の謙譲語にあたる。

04 丁寧語
立場に関係なく、**相手に対して丁寧に**述べる言葉。

05 尊敬語
「行く」「来る」「居る」の共通の尊敬語。

06 謙譲語
「見る」のへりくだった言い方。

07 おっしゃる
「おっしゃられる」といった**過剰な敬語**に注意。

08 申す、申し上げる

09 ご覧になる
相手が何かを見るときに使うため尊敬語にあたる。

問題	解答・解説
10「食べる」の謙譲語は（　　）。	**10** いただく
11「する」の尊敬語は（　　）。	**11** なさる 「される」も尊敬語にあたるが、**「なさる」**のほうがより広く使われている。
12「する」の謙譲語は（　　）。	**12** いたす
13「あげる」の謙譲語は（　　）。	**13** 差し上げる
14「もらう」の謙譲語は（　　）。	**14** いただく、頂戴する さらに丁寧に言うなら**「賜（たまわ）る」「拝受する」**となる。
15「着る」の尊敬語は（　　）。	**15** お召しになる
16「くれる」の尊敬語は（　　）。	**16** くださる **「いただく」**との使い間違いに注意。
17 **次の文で敬語の使い方が正しいものをすべて選べ。** ①社長がお話しになられます。 ②こちらの資料をご拝見ください。 ③いつでもお伺いください。 ④あのお店はご存知ですか。 ⑤明日は会社におります。 ⑥一度お目にかかれれば幸いです。 ⑦どうぞお先にいただいてください。 ⑧先生が本をくださった。 ⑨明日14時にお越しいただきたく存じます。	**17** ④、⑤、⑥、⑧、⑨ ①は**二重敬語**。正しくは「お話しになります」。②は**謙譲語**になっている。正しくは「ご覧ください」。③は**謙譲語**になっている。正しくは「お尋ねください」「いらしてください」。⑦は**謙譲語**になっている。正しくは「お召し上がりください」。

国語

敬語

8 国語・文学・教養・マナー
難読漢字

問題

次の文の下線部の読みを平仮名に直せ。

01 海豹、海豚、海象は海にいる哺乳類。

02 家鴨、啄木鳥、軍鶏、雲雀は鳥の仲間。

03 烏賊、河豚、秋刀魚は魚の仲間。

04 秋桜、蒲公英、向日葵、南瓜は植物。

05 蜻蛉、蟷螂、蟋蟀、飛蝗は虫の仲間。

06 葡萄、蜜柑、檸檬、無花果は果物。

07 牛蒡、紫蘇、青梗菜、玉蜀黍は野菜。

08 黄粉、蒟蒻、羊羹、蕎麦は食べ物。

解答・解説

01 あざらし、いるか、せいうち
海豚は**中国語を当て字**にしたもの。中国では海豚のほかにも、海猪や江豚とも書かれる。

02 あひる、きつつき、しゃも、ひばり

03 いか、ふぐ、さんま
秋刀魚の由来は、秋に獲れること、また、**形も色も刀に似ている**ことからきている。

04 こすもす、たんぽぽ、ひまわり、かぼちゃ
蒲公英の由来は、開花前に採って乾燥させた**漢方薬を「蒲公英（ホコウエイ）」と呼ぶ**ことにある。

05 かげろう（とんぼ）、かまきり、こおろぎ、ばった

06 ぶどう、みかん、れもん、いちじく

07 ごぼう、しそ、ちんげんさい、とうもろこし

08 きなこ、こんにゃく、ようかん、そば
羊羹の由来は、**羊の肉**を使った中国料理にある。

問題	解答・解説
09 **齧る**、**濯ぐ**、**憚る**、**咽ぶ**は動作。	09 かじる、すすぐ、はばかる、むせぶ
10 **曖昧**な意見に**弄ばれる**。	10 あいまい、もてあそばれる
11 今回の人事は**所謂**、**更迭**だ。	11 いわゆる、こうてつ 所謂は「しょせん」と読み間違えやすいので注意。**しょせんは「所詮」**。
12 **辛辣**な意見に**挫ける**。	12 しんらつ、くじける 辛辣とは、**言い方がとてもきつい**こと。批判や批評の際に使われる。
13 **醸し**出す雰囲気に**和む**。	13 かもし、なごむ
14 その**進捗**は**礼賛**に値する。	14 しんちょく、らいさん
15 その**思惑**には**嫌悪**しかない。	15 おもわく、けんお 思惑は「しわく」とも読めるので注意。**「おもわく」とは真意や考え、望み**。「しわく」とは仏教用語として使われ、「人が生まれながらにして持っている煩悩」を指す。
16 **隠蔽**を続けることが事態の解決を**阻む**。	16 いんぺい、はばむ
17 企業の**斡旋**だけに頼ったのが**迂闊**だった。	17 あっせん、うかつ
18 **矜持**を捨てて、勉学に**勤しむ**。	18 きょうじ、いそしむ

9 国語・文学・教養・マナー
誤文訂正

問題 / 解答・解説

次のことわざ・慣用句の間違いを直せ。

01 どんなことをいわれても意に会しない。

01 会しない→介しない
「まったく気にかけない」ということ。

02 問題ないと大見栄を切った。

02 大見栄→大見得
「自信を強調する」ということ。

03 あの惨事は感心に堪えない。

03 感心→寒心
「ぞっとする」こと。「感に堪えない」だと「隠せないくらい深く感動する」という意味になる。

04 彼の琴線に触れ、怒りを買った。

04 琴線→逆鱗（げきりん）
「琴線に触れる」は感動する、**「逆鱗に触れる」は怒り**。

05 その本にはどうにも食指が伸びない。

05 伸びない→動かない

06 寸暇を惜しまず勉強する。

06 惜しまず→惜しんで

07 彼の二の舞を踏むことだけは避けたい。

07 踏む→演じる

08 委員を押しつけられないように予防線を引く。

08 引く→張る

問題

次の文の表現の間違いを直せ。

09 よくない噂を小耳に入れる。

10 的を得た表現。

11 話に合いの手を打つ。

12 人の話の揚げ足をすくう。

13 もう怒り心頭に達した。

14 思いもつかない展開となった。

15 極めつけの名作。

16 二人きりでは間が持たない。

17 数えられるほどしかない。

18 押しも押されぬ事実。

解答・解説

09 入れる→はさむ
「ちらりと聞く」ということ。

10 得た→射た
「要点をついている」ということ。

11 打つ→入れる
「相手の話を積極的に盛り上げる」という意味合いを持つ応答の仕方。

12 すくう→とる
人の間違いや言葉尻をとらえて非難、からかいをすること。

13 達した→発した

14 つかない→よらない

15 極めつけ→極めつき
「極め＋付き」と考える。

16 持たない→持てない
「間が持たない」の誤用がとても多いので注意。

17 数えられる→数える
わずかである。少数である。

18 押しも押されぬ→押すに押されぬ
厳然たる事実。

10 国語・文学・教養・マナー
日本文学

問題	解答・解説

01 次の作品の作者（編者）を答えよ。

①古事記　②万葉集
③枕草子　④源氏物語

02 次の作品の作者を答えよ。

①羅生門　②人間失格

次の作者の作品を下の語群から選べ。

03 ①鴨長明（かものちょうめい）　②滝沢馬琴（たきざわばきん）
③十返舎一九（じっぺんしゃいっく）　④本居宣長（もとおりのりなが）

語群
方丈記、東海道中膝栗毛、
古事記伝、南総里見八犬伝

04 ①村上春樹　②川端康成
③森鷗外　④大江健三郎

語群
死者の奢り、雪国、
ノルウェイの森、舞姫

次の作品と作者が同じものを下の語群から選べ。

05 ①金閣寺　②白い巨塔
③点と線　④功名が辻

語群
竜馬がゆく、潮騒（しおさい）、
沈まぬ太陽、砂の器

---

01 ①太安万侶（おおのやすまろ）、②大伴家持、
③清少納言、④紫式部

紫式部と清少納言はともに**平安時代中期**の作家・歌人である。

02 ①芥川龍之介
②太宰治

03 ①方丈記
②南総里見八犬伝
③東海道中膝栗毛
④古事記伝

十返舎一九は日本で初めて文筆のみで自活した作家として知られる。

04 ①ノルウェイの森
②雪国
③舞姫
④死者の奢り

舞姫は**1890年**に発表された**短編小説**。ドイツに留学した主人公の、ドイツでの恋愛経験がつづられる。

05 ①潮騒（三島由紀夫）
②沈まぬ太陽（山崎豊子）
③砂の器（松本清張）
④竜馬がゆく（司馬遼太郎）

問題	解答・解説

06 『坊っちゃん』『吾輩は猫である』の作者は（　①　）、『破戒』『夜明け前』の作者は（　②　）である。

06 ①夏目漱石、②島崎藤村
夏目漱石は明治の文豪として**旧千円札の肖像**にもなった。また、島崎藤村の『夜明け前』は**父をモデル**とした歴史小説である。

07 『黒い雨』『山椒魚』の作者は（　①　）、『注文の多い料理店』『風の又三郎』の作者は（　②　）である。

07 ①井伏鱒二（いぶせますじ）、②宮澤賢治

08 『伊豆の踊子』『眠れる美女』の作者は（　①　）、『夜叉ヶ池（やしゃがいけ）』『歌行燈（うたあんどん）』の作者は（　②　）。

08 ①川端康成、②泉鏡花（いずみきょうか）
泉鏡花は**明治後期から昭和初期**にかけて活躍した小説家である。

09 **次の作品の作者を答えよ。**
①奥の細道　②曾根崎心中
③西洋紀聞（せいようきぶん）　④解体新書

09 ①松尾芭蕉、
②近松門左衛門、
③新井白石、④杉田玄白
『奥の細道』は日本古典における紀行文学の代表的存在。松尾芭蕉は**元禄文化期（江戸時代前期）**に活躍した。

次の説明に適する文学作品を下の語群から選べ。

10 ①約 1100 首が収められた最古の勅撰（ちょくせん）和歌集
②藤原兼家（ふじわらのかねいえ）との結婚以降を記した日記
③日本最古の仮名物語。竹から生まれた女性の物語
④日本最古の正史。全30巻からなる

語群
蜻蛉日記（かげろうにっき）、古今和歌集、日本書紀、竹取物語

10 ①古今和歌集
②蜻蛉日記
③竹取物語
④日本書紀

文学
日本文学

11 国語・文学・教養・マナー
世界文学

問題

01 **次の作品の作者を答えよ。**

①星の王子さま ②イワンのばか
③老人と海 ④変身
⑤白鯨

02 **次の作品の作者を答えよ。**

①ドン・キホーテ ②異邦人
③ファウスト ④どん底
⑤レ・ミゼラブル

次の作者の作品を下の語群から選べ。

03 ①シェイクスピア ②ダンテ
③ドストエフスキー
④アンデルセン
⑤スタンダール

語群

罪と罰、赤と黒、ハムレット、神曲、人魚姫

04 ①カフカ ②トーマス・マン
③サリンジャー ④ヘミングウェイ
⑤オルコット

語群

日はまた昇る、若草物語、審判、魔の山、ライ麦畑でつかまえて

解答・解説

01 ①サン＝テグジュペリ
②トルストイ
③ヘミングウェイ
④カフカ
⑤メルヴィル

02 ①セルバンテス
②カミュ
③ゲーテ
④ゴーリキー
⑤ユーゴー

03 ①ハムレット、②神曲、
③罪と罰、④人魚姫、
⑤赤と黒

ドストエフスキーはロシアを代表する小説家、思想家の一人。**『白痴』や『カラマーゾフの兄弟』**なども代表作品である。

04 ①審判
②魔の山
③ライ麦畑でつかまえて
④日はまた昇る
⑤若草物語

ヘミングウェイはアメリカ出身の小説家、詩人。1954 年に**ノーベル文学賞**を受賞している。

問題	解答・解説

次の作品と作者が同じものを下の語群から選べ。

05 ①武器よさらば　②脂肪の塊
③マクベス　④親和力

語群
オセロ、女の一生、西東詩集、誰がために鐘は鳴る

05 ①誰がために鐘は鳴る（ヘミングウェイ）
②女の一生（モーパッサン）
③オセロ（シェイクスピア）
④西東詩集（ゲーテ）

06 『東方見聞録』の作者は（　①　）、『ロビンソン・クルーソー』の作者は（　②　）である。

06 ①マルコ・ポーロ、②デフォー
『東方見聞録』はマルコ・ポーロがアジア諸国で見聞きしたものを収録した**旅行記**。

07 『狂人日記』の作者は（　①　）、『昆虫記』の作者は（　②　）である。

07 ①魯迅（ろじん）、②ファーブル
『昆虫記』では昆虫の習性や、習性を知るために行われた研究内容が書かれている。

08 『失楽園』の作者は（　①　）、『ガリバー旅行記』の作者は（　②　）である。

08 ①ミルトン
②スウィフト

次の説明に適する文学作品を下の語群から選べ。

09 ①貧しい元大学生が殺人を犯し、罪の意識に苦悩する姿を描く
②周囲の期待を一身に背負った少年の疲弊していく心を描く
③第一次世界大戦のイタリアを舞台に兵士と看護師の恋を描く
④目覚めると巨大な虫に変身していた男と家族の顛末を描く

語群
変身、武器よさらば、罪と罰、車輪の下

09 ①罪と罰（ドストエフスキー）
②車輪の下（ヘルマン・ヘッセ）
③武器よさらば（ヘミングウェイ）
④変身（カフカ）

12 国語・文学・教養・マナー
短歌・俳句・詩

問題	解答・解説

次の短歌を詠んだ作者を答えよ。

01 やは肌の　あつき血汐に
ふれも見で　さびしからずや
道を説く君

02 頬につたふ　なみだのごはず
一握の　砂を示しし　人を忘れず

03 何ごとも　夢のごとくに
過ぎにけり　万燈の上の
桃色の月

04 瓶にさす　藤の花ぶさ
みじかければ　たたみの上に
とどかざりけり

05 人はいさ　心も知らず
ふるさとは　花ぞ昔の
香ににほひける

06 夜をこめて　鳥の空音は
はかるとも　よに逢坂の
関はゆるさじ

07 花の色は　うつりにけりな
いたづらに　わが身世にふる
ながめせしまに

01 与謝野晶子（よさのあきこ）
歌集**『みだれ髪』**に収録されている。与謝野晶子は**ロマン主義文学**を代表する歌人。

02 石川啄木（いしかわたくぼく）
歌集**『一握（いちあく）の砂（すな）』**に収録されている。

03 北原白秋（きたはらはくしゅう）
歌集**『雀の卵』**に収録されている。

04 正岡子規（まさおかしき）
歌集**『竹の里歌』**に収録されている。

05 紀貫之（きのつらゆき）
平安時代前期の**勅撰（ちょくせん）和歌集**である『古今和歌集』に収録されている。

06 清少納言
百人一首で詠まれたもの。百人一首は、100人の歌人の和歌を1人1首選んで作られた。

07 小野小町（おののこまち）
百人一首で詠まれたもの。小野小町は平安時代前期の女流歌人で絶世の美女として知られる。

問題

08 めぐり逢ひて　見しやそれとも
わかぬ間に　雲隠れにし
夜半の月かな

次の俳句を詠んだ作者を答えよ。

09 秋深き　隣は何を　する人ぞ

10 柿くへば　鐘が鳴るなり　法隆寺

11 雀の子　そこのけそこのけ
お馬が通る

12 菜の花や　月は東に　日は西に

13 朝顔に　釣瓶(つるべ)とられて　もらひ水

次の詩を詠んだ作者を答えよ。

14 まだあげ初めし前髪の
林檎のもとに見えしとき
前にさしたる花櫛の
花ある君と思ひけり

15 そんなにもあなたは
レモンを待つてゐた
かなしく白くあかるい死の床で
わたしの手からとつた一つのレモンを
あなたのきれいな歯が
がりりと噛んだ

解答・解説

08 紫式部
百人一首で詠まれたもの。

09 松尾芭蕉

10 正岡子規
明治時代を代表する俳人、歌人である。

11 小林一茶(こばやしいっさ)
松尾芭蕉、与謝蕪村(よさぶそん)と並んで**江戸時代**を代表する俳人の一人。

12 与謝蕪村

13 加賀千代女(かがのちよじょ)

14 島崎藤村
作品名は**「初恋」**である。『若菜集』(明治30年に刊行された詩集)に収録されている。

15 高村光太郎
作品名は**「レモン哀歌」**である。妻、智恵子が息を引き取る瞬間をうたったもので、『智恵子抄(ちえこしょう)』(詩集)に収録されている。

文学
短歌・俳句・詩

13 国語・文学・教養・マナー
名数

問題

01 日本三大急流は、富士川(ふじかわ)・最上川(もがみがわ)・(　　　)。

02 日本三大霊場は恐山(おそれざん)・高野山(こうやさん)・(　　　)。

03 日本三霊山は(　①　)・白山(はくさん)・(　②　)。

04 日本三大歌集は古今和歌集・新古今和歌集・(　　　)。

05 日本三大随筆は(　①　)・方丈記・(　②　)。

06 **三大工業地帯**は阪神工業地帯・(　①　)・(　②　)。

07 日本三大祭は(　①　)・神田祭・(　②　)。

08 **日本三景**は松島・宮島・(　　　)。

09 エネルギー産生栄養素(三大栄養素)は脂質・タンパク質・(　　　)。

10 **四大公害病**はイタイイタイ病・新潟水俣病(みなまたびょう)・(　①　)・(　②　)。

解答・解説

01 球磨川(くまがわ)

02 比叡山

03 ①富士山
②立山

04 万葉集

05 ①枕草子
②徒然草

06 ①京浜工業地帯
②中京工業地帯
もともとは**北九州工業地帯**を入れて四大工業地帯だった。

07 ①祇園祭
②天神祭

08 天橋立

09 炭水化物
ビタミンとミネラルを合わせると**五大栄養素**となる。

10 ①水俣病
②四日市ぜんそく

問題

11 日本の**五街道**は（　①　）・中山道・（　②　）・奥州街道・（　③　）。

12 **世界三大瀑布**はイグアスの滝・（　①　）の滝・（　②　）の滝。

13 **世界三大法典**はハンムラビ法典・ナポレオン法典・（　　　）法大全。

14 世界三大（　①　）はトリュフ・キャビア・（　②　）。

15 **世界三大宗教**はキリスト教・仏教・（　　　）。

16 （　　　）は魏（ぎ）・呉（ご）・蜀（しょく）の歴史書。

17 三大発明は（　　　）・羅針盤・活版印刷。

18 儒教における四書は（　①　）・（　②　）・大学・中庸（ちゅうよう）。

19 **四元素**とは（　①　）・空気・（　②　）・土。

20 五感とは（　①　）・聴覚・（　②　）・味覚・（　③　）。

解答・解説

11 ①東海道
②日光街道
③甲州街道

12 ①ビクトリア
②ナイアガラ

13 ローマ

14 ①珍味
②フォアグラ

15 イスラム教

16 三国志
『三国志』は中国の**三国時代の歴史書**である。

17 火薬

18 ①論語
②孟子

19 ①火
②水

20 ①視覚
②触覚
③嗅覚

14 国語・文学・教養・マナー
賀寿・旧暦

問題

次の賀寿について何というか答えよ。

01 十干十二支は60年で一巡し、数え年61歳で生まれた年と**同じ干支に還る**ことに由来。

02 中国の詩人、杜甫の「人生七十古来稀なり」（**70歳**まで生きる人は古来、珍しく希少である）という詩の一節に由来。

03 **「喜」**という字の草書体が七を3つ重ねた形になり「七十七」と読めることに由来。

04 **「傘」**の略字が八と十を重ねた形になり、「八十」と読めることに由来。

05 **「米」**の字を崩すと「八十八」と読めることに由来。

06 **「卒」**の略字である「卆」が「九十」と読めることに由来。

07 「百」から「一」を引くと**「白」**となることに由来。

08 **百**歳であることに由来。

09 **「茶」**の字は「十・十・八十八」に分解でき、すべて足すと108になることに由来。

解答・解説

01 還暦（61歳）
「出生時に還る」という意味。赤い色の衣服を本人に贈って祝う。

02 古稀（古希）（70歳）
古稀では**紫色**のものを用意して祝う。

03 喜寿（77歳）

04 傘寿（80歳）

05 米寿（88歳）

06 卒寿（90歳）

07 白寿（99歳）

08 百寿（ももじゅ）（100歳）

09 茶寿（108歳）
111歳は**皇寿**、120歳は**大還暦**となる。

問題

10 日本の旧暦において春に区分される月の別名を順に答えよ。

11 日本の旧暦において夏に区分される月の別名を順に答えよ。

12 日本の旧暦において秋に区分される月の別名を順に答えよ。

13 日本の旧暦において冬に区分される月の別名を順に答えよ。

14 中国が**太陽の動きをもと**に考案した（ ① ）は、毎年同じ時期に同じ節気が巡り、季節を知るよりどころとなった。各節気の期間は、約（ ② ）日である。

15 **次の新暦のころを節気では何というか答えよ。**

①2 月 4 日ごろ
②3 月 21 日ごろ
③5 月 6 日ごろ
④6 月 21 日ごろ
⑤8 月 7 日ごろ
⑥9 月 23 日ごろ
⑦11 月 7 日ごろ
⑧12 月 22 日ごろ

解答・解説

10 睦月（1月）、如月（2月）、弥生（3月）

11 卯月（4月）、皐月（5月）、水無月（6月）

12 文月（7月）、葉月（8月）、長月（9月）

13 神無月（10月）、霜月（11月）、師走（12月）
これらの別名は現代の新暦にも使うことがある。

14 ①二十四節気
②15

15 ①立春
②春分
③立夏
④夏至
⑤立秋
⑥秋分
⑦立冬
⑧冬至

15 国語・文学・教養・マナー しきたり・マナー

問題

01 目上・年配の人用の席を（　　　）という。

02 名刺交換は、年齢や役職の（　　　）側から先に行う。わからない場合は**商談などをお願いするほう**が先に渡す。

03 公式な場で必要になる服装の規制を（　　　）といい、特別なパーティーや晩餐でない限り、**男性は上着、ネクタイ着用程度**が求められる。

04 西洋料理店で、**中座**するときはナプキンを軽くたたんで（　　　）の上に置く。

05 結婚式のご祝儀と、葬儀香典に使われるお札には、新札と使用済みのお札のどちらを使うか答えよ。

06 **葬儀香典の表書きを答えよ。**
仏式：（　①　）、御香料
神式：（　②　）、御榊料
キリスト教：（　③　）、御偲料など

07 **次の２人を紹介するときはどちらを先に紹介するか答えよ。**
①年長者と年少者
②社外の人と社内の人
③会社の人と家族

解答・解説

01 上座
上座は**入口から遠い席**、和室ならば**床の間の前**となる。

02 低い
上司が同席している場合は、**上司のあとに**名刺交換を行う。

03 ドレスコード

04 椅子

05 結婚式：折り目のない新札
葬儀香典：使用済みのお札
葬儀香典では、起こってほしくない、予期しないものであり、新札は必要ない。

06 ①御霊前、②御玉串料、③御花料
仏式で浄土真宗の場合はすぐに成仏することから**「御仏前」**とする。また、宗派を問わないものは**御霊前**が好ましい。

07 ①年少者、②社内の人、③家族
仕事で人を紹介する場合は、**役職が下の人を**先に紹介する。

問題 | 解答・解説

08 **次の箸の使い方はよくないものとされているが、それぞれ何というか。**

①料理から料理へ移ること
②器の上に箸を置くこと
③箸で人を指すこと
④食べ物を箸から箸へ渡すこと
⑤料理に箸を突き刺すこと

08 ①移り箸
②渡し箸
③指し箸
④拾い箸・箸渡し
⑤刺し箸

09 手紙の宛名に敬称をつけるとき、相手が**企業や団体**の場合は（　　　）とつける。

09 御中
同じ文章を多数の相手に送る場合は**各位**とする。

10 **病気見舞いの花**は、（　　　）や**シクラメン**は避けたほうがよいとされる。

10 鉢植え
鉢植えは、**「根付く→寝付く」**を連想させてしまう。また、シクラメンはシクが**死苦**を連想させるとされている。

11 半年間の御礼を込めて**7月上旬ごろ**に贈る品を（　①　）といい、日ごろの感謝を込めて**年末**に送る品を（　②　）という。

11 ①中元
②歳暮

12 新しい家族を**神様に紹介**するという目的で、**生後30日ごろ**の赤ん坊を連れて神社にお参りすることを（　　　）という。

12 お宮参り

13 生後初めての節句を初節句といい、**男児**は5月5日の（　①　）に、**女児**は3月3日の（　②　）に祝う。

13 ①端午の節句
②雛祭り・桃の節句

おさらいしよう!

実力テスト

問題

下線部について、正しいものは○、誤っているものは×で答えよ。

01 保守と**核心**の争い。

02 入社式に**臨む**。

03 滅多にないチャンスを**千財一遇**という。

04 どんな人でも身なりを調えれば立派に見えることを**孫にも衣装**という。

05 こちらの資料を**ご拝見ください**。

06 二人きりでは**間が持たない**。

07 源氏物語の作者は**清少納言**である。

08 日本三霊山は**富士山・立山・白山**である。

09 旧暦における冬は、**霜月(11月)・師走(12月)・睦月(1月)**である。

10 半年間のお礼を込めて7月上旬に贈るものを**中元**という。

解答

01 × 核心→革新 ➡P104	02 ○ ➡P104	03 × 千財一遇→千載一遇 ➡P106	04 × 孫にも衣装→馬子にも衣装 ➡P108	05 × ご拝見ください→ご覧ください ➡P110
06 × 持たない→持てない ➡P114	07 × 清少納言→紫式部 ➡P116	08 ○ ➡P122	09 × 神無月(10月)・霜月(11月)・師走(12月) ➡P124	10 ○ ➡P126

［テーマ❻］

英語・数学・理科

ビジネスシーンでは
英語を使う機会も少なくありません。
また、簡単な数字計算が必要なときもあります。
頻出英語や時事英語、
基礎的な計算問題、理科の問題を出題。
最低限必要な知識として身につけておきましょう。

1 英語・数学・理科
英語構文

問題

次の英文と日本語訳を読んで空欄を埋めよ。

01 I (　　　) it a rule to get up at 6.
私は6時に起きることにしている。

02 One is mine,the (　　　) are theirs.
1つは私ので、残りは全部彼らのだ。

03 All you (　　　) to do is to study.
君は勉強しさえすればよい。

04 (　　　) don't you drink water?
水を飲んでみたら？

05 This river is (　　　) to swim in.
この川を泳ぐのは危険だ。

06 Do you know (①) (②) open the gate?
門の開け方を知らない？

07 I didn't know (　　　) to see in L.A.
ロスで何を見るべきなのかわからなかった。

08 I (　　　) like drinking coffee.
私はコーヒーを飲みたい気分だ。

解答・解説

01 make
make it ～：「～がうまくいく／成功する」または「間に合う」といった意味。

02 others
the others：「ほかのものすべて」を意味する。

03 have
have to ～：「～しなければならない」となる。

04 Why
Why don't you ～？：「～してはどう？」と提案する言い方になる。

05 dangerous
難易度や危険、安全などを表す形容詞が出てきたら**「is + 形容詞 + to ～」**の構文を使う。

06 ①how、②to
how to + 動詞：「～の仕方」となる。

07 what
what to + 動詞：「何を～したらいいか」となる。

08 feel
feel like ～ ing：「～したい気分」となる。

問題	解答・解説
09 The storm kept us (　　　) going out. 嵐が私達を外出できないようにした。	**09** from keep A from ～ ing：「A に～させない」となる。訳は過去形なので keep を kept としている。
10 The boy (①) (②) to the vacation. その少年は休暇を楽しみにしている。	**10** ①looks、②forward look forward to ～：「～を楽しみにする」となる。
11 Don't speak (　　　) your mouth full. 食べ物をほおばりながら話すな。	**11** with with + A + B ～：「A が B しながら～」となる。
12 Call me as (　　　) as you get home. 家に着いたらすぐ電話しなさい。	**12** soon as soon as：「すぐに～しろ」となる。
13 (　　　) all Japanese like Sushi. すべての日本人が寿司を好きとは限らない。	**13** Not Not + 100% を表す語句：「全員または全部が～というわけではない」という部分否定の意味となる。
14 The party is not today, (　　　) tomorrow. パーティーは今日ではなく明日だ。	**14** but not A but B：「A ではなく B だ」となる。
15 It's (　　　) to know the future. 未来を知ることは不可能だ。	**15** impossible impossible to は be unable to の言い換え表現の 1 つ。
16 He studied as (　　　) as possible. 彼はできるだけたくさん勉強した。	**16** much much が名詞の場合、「たくさん／多量」といった意味となる。
17 I have no (　　　) than 100 dollars. 私は 100 ドルしか持っていない。	**17** more no more than は「足りない／およばない」という気持ちを表す。
18 I have no (　　　) than 100 dollars. 私は 100 ドルも持っている。	**18** less no less than のあとに数詞がくると「～も／～もの」という意味となる。

2 英語・数学・理科
頻出熟語

問題	解答・解説

次の英文と日本語訳を読んで空欄を埋めよ。

01 How do you (　　　) for this?
これをどう説明するのですか？

02 Would you be (　　　) to help me?
お手伝いいただけますか？

03 I am (①) (②) it!
飽きちゃったよ！

04 I hope your dreams (　　　) true.
あなたの夢の実現を願っています。

05 We can't (①) (②) like that.
あんなふうに続けられない。

06 Why did you go (　　　) my advice?
なぜ僕の意見に逆らったんだ？

07 We are (　　　) for that town.
私たちはあの町に向かっている。

08 He (①) (②) in advance.
彼はあらかじめそれを作っておいた。

09 I don't (①) (②) in front of people.
人前で話すのは好きじゃない。

01 account
account for ～：「～を説明する」となる。

02 able
be able to ～?：「～できますか？」となる。

03 ①tired、②of
be tired of ～：「～に飽きる」となる。

04 come
dreams come true：「夢が叶う／実現する」となる。

05 ①go、②on
go on ～：「～を続ける」となり、否定形と like that で「あんなふうにできない」となる。

06 against
go against ～：「～に逆らう」となる。

07 heading
head for ～：「～へ向かう」となる。

08 ①made、②it

09 ①like、②speaking

問題	解答・解説
10 Production can't (①) (②) with demand. 生産が需要に追いつかない。	**10** ①keep、②up keep up with が「遅れないようについていく」という意味で、そこに否定形が合わさることで「追いつかない」となる。
11 I (①) (②) translate it. なんとかそれを翻訳した。	**11** ①managed、②to **managed to ～**:「なんとか／やっと／どうにかして」となる。
12 He lives (①) (②). 彼は隣に住んでいる。	**12** ①next、②door next door で **「隣の家」** と訳す。
13 My car is (①) (②) order. 僕の車は故障している。	**13** ①out、②of out of order で **「調子が悪い／故障している」** と訳す。
14 I can't (①) (②) with him! 彼には我慢できない！	**14** ①put、②up **put up with ～**:「～を我慢する」となる。
15 She always runs (　　) from me. 彼女はいつも僕から逃げる！	**15** away **run away from ～**:「～（から）逃げる」となる。
16 You should leave (　　) away! すぐに出発したほうがいい！	**16** right **right away**:「ただちに／すぐに」となる。
17 I'll (①) (②) now! ここからは引き受けよう！	**17** ①take、②over **take over ～**:「～を引き継ぐ／引き取る」となる。
18 I (①) (②) be good at math. 以前は数学が得意でした。	**18** ①used、②to **used to ～**:「以前はよく～したものだった」となる。
19 I'm (①) (②) him to call. 彼の電話を待っているところだ。	**19** ①waiting、②for

3 英語・数学・理科
同義語・類義語・対義語

問題

次の単語の同義・類義語を下の語群から選べ。

01
①praise ②belief ③fault
④client ⑤worth ⑥clear
⑦empty ⑧wise ⑨complete
⑩first ⑪sorrow ⑫conceal
⑬mend ⑭disaster
⑮expensive

語群

trust、obvious、tragedy、defect、grief、intelligent、costly、customer、vacant、repair、primary、value、admire、perfect、hide

次の単語の対義語を下の語群から選べ。

02
①cause ②sympathy ③hope
④practice ⑤past ⑥accept
⑦praise ⑧increase ⑨admit
⑩allow ⑪clean ⑫urban
⑬public ⑭major ⑮positive

語群

minor、blame、theory、rural、despair、future、refuse、result、dirty、negative、private、forbid、antipathy、decrease、deny

解答・解説

01
①admire：賞賛する
②trust：信用
③defect：欠点、欠陥
④customer：客
⑤value：価値
⑥obvious：明白な
⑦vacant：空の
⑧intelligent：かしこい
⑨perfect：完全な
⑩primary：最初の
⑪grief：悲しみ
⑫hide：隠す
⑬repair：修理する
⑭tragedy：災難
⑮costly：高価な

02
①result：原因⇔結果
②antipathy：同情⇔反感
③despair：希望⇔絶望
④theory：実践⇔理論
⑤future：過去⇔未来
⑥refuse：受け入れる⇔拒否する
⑦blame：褒める⇔非難する
⑧decrease：増える⇔減る
⑨deny：認める⇔否定する
⑩forbid：許す⇔禁ずる
⑪dirty：清潔な⇔不潔な
⑫rural：都会の⇔田舎の
⑬private：公的な⇔私的な
⑭minor：多数派⇔少数派
⑮negative：肯定的な⇔否定的な

問題	解答・解説

03 次の単語の同義・類義語を最初の1文字に続けて答えよ。

①chance（機会）：(o　　)
②exhibition（展示会）：(f　　)
③odor（臭い）：(s　　)
④belongings（所持品）：(p　　)
⑤effort（努力）：(e　　)
⑥incentive（動機）：(m　　)
⑦accuracy（正確さ）：(p　　)
⑧authorization（認可）：(p　　)
⑨present（贈り物）：(g　　)
⑩holidays（休暇）：(v　　)

03
①opportunity
②fair
③smell
④possessions
⑤endeavor
⑥motivation
⑦precision
⑧permission
⑨gift
⑩vacation

04 次の単語の対義語を最初の1文字に続けて答えよ。

①outdated（時代遅れの）：(f　　)
②chronic（慢性の）：(a　　)
③subsequent（後の）：(p　　)
④abstract（抽象的な）：(c　　)
⑤amateur（素人の）：(p　　)
⑥active（能動的な）：(p　　)
⑦authentic（本物の）：(f　　)
⑧occupied（占有する）：(v　　)
⑨oppose（反対する）：(s　　)
⑩demand（需要）：(s　　)

04
①fashionable：流行の
②acute：急性の
③preceding：前の
④concrete：具体的な
⑤professional：専門家の
⑥passive：受動的な
⑦fake：偽物の
⑧vacant：空の
⑨support：支持する
⑩supply：供給

4 ことわざ・慣用句

問題

次のことわざに適する意味を下の語群から選べ。

01 ①All is well that ends well.
②Fortune comes in at the merry gate.
③Time flies like an arrow.
④Failure teaches success.
⑤It is no use crying over spilt milk.

語群
光陰矢のごとし、笑う門には福来たる、失敗は成功のもと、終わりよければすべてよし、覆水盆に返らず

日本のことわざに合うように空欄を埋めよ。

02 The early bird (　　　) the worm.
早起きは三文の徳

03 Misfortunes never come (　　　).
泣き面に蜂

04 (①) is (②).
百聞は一見にしかず

05 After a storm comes a (　　　).
雨降って地固まる

解答・解説

01 ①終わりよければすべてよし
②笑う門には福来たる
③光陰矢のごとし
④失敗は成功のもと
⑤覆水盆に返らず

02 catches
英語では「早起きの鳥は虫を捕まえる」という。

03 singly
英語では「不運は単独ではやってこない」という。

04 ①Seeing、②believing
英語では「見ることが信じること」という。

05 calm
「嵐のあとには必ず静けさが訪れる」という。よく使われる表現。

問題

06 Kill two birds with one (　　　).
一石二鳥

07 Ignorance is (　　　).
知らぬが仏

08 Protect yourself at all (　　　).
頭隠して尻隠さず

09 Look before you (　　　).
石橋を叩いて渡る

10 No one knows what the (①) (②).
一寸先は闇

11 (①)is silver,silence is(②).
言わぬが花

12 Do in (①) as the (②) do.
郷に入っては郷に従え

13 Birds of a (　　　) flock together.
類は友を呼ぶ

14 (①) (②) (③) is a dangerous thing.
生兵法は大怪我のもと

15 Too many (　　　) spoil the broth.
船頭多くして船山に上る

解答・解説

06 stone
日本語と同じく、「1つの石で2羽の鳥を殺す」という。

07 bliss
ignoranceは無知という意味で、blissは幸福という意味。

08 points
英語では「自分の身のすべてを守れ」という。

09 leap
look before＋人 leapで「飛びつく前に見る＝石橋を叩いて渡る」。

10 ①future、②holds
英語では「未来に何が待ち受けているのかは誰も知らない」という。

11 ①Speech、②golden
「雄弁は銀、沈黙は金＝黙っていたほうがいい」といえる。

12 ①Roma、②Romans
「ローマではローマ人のようにせよ」と訳し、同じ意味となる。

13 feather
Great minds think alike.の言い回しもある。

14 ①A、②little、③knowledge
「少しの知識は危険＝中途半端にやると失敗する」という意味となり、ことわざと同じ意味となる。

15 cooks
「料理人が多すぎるとスープがダメになる」と訳し、同じ意味となる。頻出表現。

5 英語・数学・理科
時事英語

問題	解答・解説
日本語訳に合うように空欄を埋めよ。	
01 (　　) weather：異常気象	01 extreme
02 (　　) rain：酸性雨	02 acid
03 (　　) society：高齢化社会	03 aging
04 air (　　)：大気汚染	04 pollution
05 (　　) tax：消費税	05 consumption
06 declining (　①　) (　②　)：少子化	06 ①birth、②rate
07 environmental (　　)：環境破壊	07 disruption (destruction/damage)
08 (　　) rate：為替レート	08 exchange
09 global (　　)：地球温暖化	09 warming
10 illegal (　　)：不法入国	10 immigration
11 (　　) waste：産業廃棄物	11 industrial
12 (　　) waste：放射性廃棄物	12 radioactive
13 (　　) market：株式市場	13 stock
14 tax (　　)：減税	14 reduction
15 (　　) dispute：領土問題	15 territorial

問題	解答・解説
次の熟語を日本語に訳せ。	
16 average lifespan	16 平均寿命
17 elder care	17 高齢者介護
18 business hours	18 営業時間
19 fertility rate	19 出生率
20 corporal punishment	20 体罰
21 People's Honor Award	21 国民栄誉賞
22 driver error	22 運転ミス
23 electronic toll collection	23 自動料金収受 ETCともいう。
24 entry curb	24 入国制限
25 entry ban	25 入国拒否
26 jet lag	26 時差ボケ
27 personal seal	27 印鑑 判子ともいう。
28 budget deficit	28 財政赤字
29 trade friction	29 貿易摩擦
30 regional monopoly	30 地域独占
31 medical malpractice	31 医療過誤

6 英語・数学・理科
カタカナ語

問題

ビジネス用語として使われるカタカナ語の意味として正しいものを下の語群から選び、英語に直せ。

01

①サステナビリティ
②オーソライズ
③フィジビリティスタディ
④アセット
⑤オルタナティブ
⑥ハレーション
⑦バジェット
⑧アライアンス
⑨ダイバーシティ
⑩スキーム
⑪ステークホルダー
⑫コミットメント
⑬アジェンダ
⑭エビデンス
⑮コンプライアンス

語群

実行可能調査、計画／予定表、代替案、予算、持続可能、提携、ほかに影響をおよぼす、証拠／言質、公認、資産／財産、多様化、計画／体系、利害関係者、法令遵守、約束／関与

解答・解説

01

①持続可能
sustainability
②公認
authorize
③実行可能調査
feasibility study
④資産／財産
asset
⑤代替案
alternative
⑥ほかに影響をおよぼす
halation
⑦予算
budget
⑧提携
alliance
⑨多様化
diversity
⑩計画／体系
scheme
⑪利害関係者
stakeholder
⑫約束／関与
commitment
⑬計画／予定表
agenda
⑭証拠／言質
evidence
⑮法令遵守
compliance

問題	解答・解説
次の文や語句に最も適するカタカナ語を答えよ。	
02 行為によって起きた結果への**責任・説明義務**。	**02** アカウンタビリティ =accountability
03 **本来の意味では出席**を意味する。付き添う、世話・接待する。	**03** アテンド =attend
04 同盟・提携。	**04** アライアンス =alliance
05 双方向・対話型。	**05** インタラクティブ =interactive
06 重大な、危機的、致命的。	**06** クリティカル =critical
07 商談を**成立・成約**させること。	**07** クロージング =closing
08 問題解決、解決方法。	**08** ソリューション =solution
09 傾向、偏見。	**09** バイアス =bias
10 活動がスムーズに進むように**支援する**。	**10** ファシリテーション =facilitation
11 **危険回避**。リスクに対して次善策を用意すること。	**11** リスクヘッジ =risk hedge
12 読解記述力。**物ごとを理解**し、記述・表現する能力。	**12** リテラシー =literacy
13 **模範**となる人。	**13** ロールモデル =role model

7 英語・数学・理科
計算式・文章問題

問題	解答・解説

次の式を計算しなさい。

01 41^2

01 1681

$(40+1)^2 = 40^2 + 2 \times 40 \times 1 + 1^2 = 1681$

【公式】$(a+b)^2 = a^2 + 2ab + b^2$

02 101×99

02 9999

$(100+1)(100-1)$

$= 100^2 - 1^2 = 9999$

【公式】$(a+b)(a-b) = a^2 - b^2$

03 $3X - 2Y = -2$

$5X + 3Y = 22$ のとき $(X, Y) = (\ ,\ )$

03 $(X, Y) = (2, 4)$

04 $X^2 - 2X - 24$

04 $(X-6)(X+4)$

05 $X^2 + 12X + 32 = 0$ のとき $X = (\quad)$

05 $X = -4, -8$

06 $\sqrt{3} + \sqrt{12}$

06 $3\sqrt{3}$

$\sqrt{3} + \sqrt{4 \times 3} = \sqrt{3} + 2\sqrt{3}$

07 $\frac{1}{\sqrt{2}} + \frac{1}{\sqrt{3}}$

07 $\frac{3\sqrt{2} + 2\sqrt{3}}{6}$

以下の問題の（　　）に入る数字を答えなさい。

08 原価 1,500 円の品物に 4 割の利益を見込んで定価をつけると（　　）円となる。

08 2,100

$1500 \times (1 + 0.4) = 2100$

定価＝原価×（1＋利益率）

商売における利益率とは売り上げに対する割合を考えるが、損益算では原価に対する見込みの利益を考えるので、**利益＝原価×利益率**とする。

問題	解答・解説

09 定価（　　　）円の品物を2割引にしたら売価は4,000円であった。

09 5,000
□×（1 − 0.2）= 4000
4000 ÷ 0.8 = 5000円
売価＝定価×（1 −値引率）

10 原価2,000円の品物に5割の利益を見込んで定価をつけたが、売れないので定価の3割引で売った。利益は（　　　）円である。

10 100
2000 ×（1 + 0.5）×
（1 − 0.3）=2100
利益＝ 2100 − 2000 = 100円

11 定価3,000円の品物を4割引で売ったら200円の利益があった。この品物の原価は（　　　）円である。

11 1,600
3000 ×（1 − 0.4）
= 1800円：売価
原価＝ 1800 − 200 = 1600円

12 1本50円の鉛筆と1本120円のボールペンを合わせて20本買ったら1,350円であった。鉛筆は（　　　）本買った。（※消費税は考えない）

12 15
全部ボールペンなら
120 × 20 = 2400円
（2400 − 1350）÷（120 − 50）
= 15本

13 卵が6個入りのパックと8個入りのパックが全部で10パックあり、卵の合計は66個であった。6個入りのパックは（　　　）パックである。

13 7
全部8個入りなら
8 × 10 = 80個
（80 − 66）÷（8 − 6）= 7パック

14 200個のリンゴを、4個ずつ入る袋と6個ずつ入る袋に入れたところ、全部で38袋できて、2個余った。6個入りは（　　　）袋である。

14 23
袋詰めできたリンゴは198個。
全部4個入りなら
4 × 38 = 152個
（198 − 152）÷（6 − 4）= 23袋

8 英語・数学・理科
図形・面積・体積・N進法

問題

01 正五角形の１つの内角の大きさを求めなさい。

02 次の図形の x の値を求めなさい。

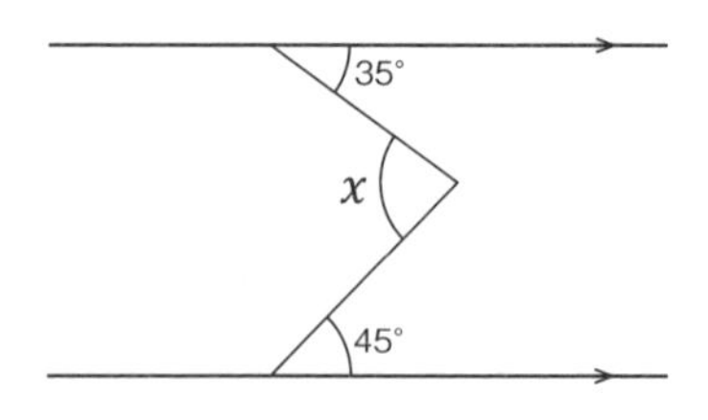

03 次の図形の面積を求めなさい。

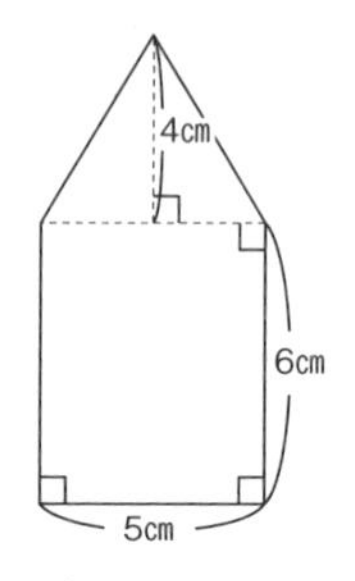

04 次のおうぎ形の面積と周囲の長さを求めなさい。

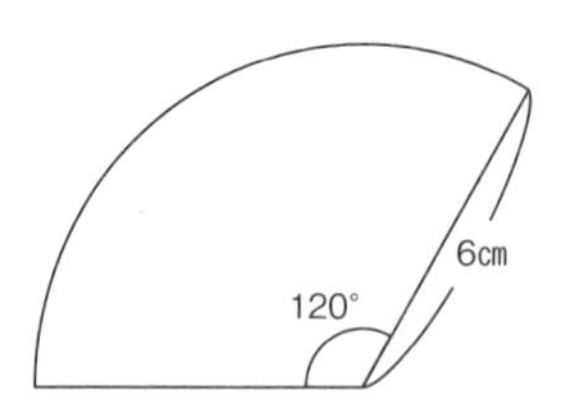

解答・解説

01 108°

(5-2) × 180 = 540°

540 ÷ 5 = 108°

(n 角形の内角の和の求め方)

(n-2) × 180

02 x = 80°

35 + 45 = 80°

平行線の**錯角と同位角**となる。

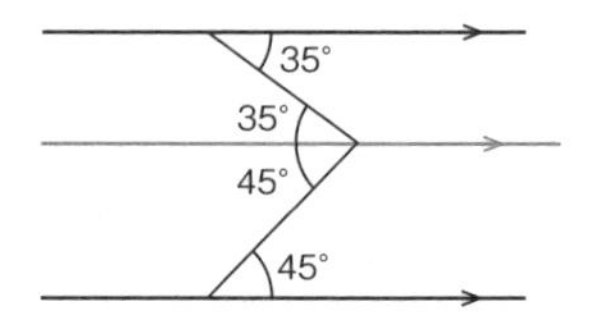

03 40㎝²

5 × 4 ÷ 2 + 5 × 6 = 40㎝²

三角形＋四角形で考える。

04 面積＝ 12 π㎝²
周囲＝ 4 π ＋ 12cm

(面積)

$6 \times 6 \times \pi \times \frac{120}{360} = 12\pi$ ㎝²

(周囲)

$6 \times 2 \times \pi \times \frac{120}{360} + 6 \times 2$（直線分）

$= 4\pi + 12$cm

(面積の求め方)

半径×半径×π×$\frac{中心角}{360}$

(弧の長さの求め方)

半径×2×π×$\frac{中心角}{360}$

問題	解答・解説

05
次の円すいの体積と表面積を求めなさい。

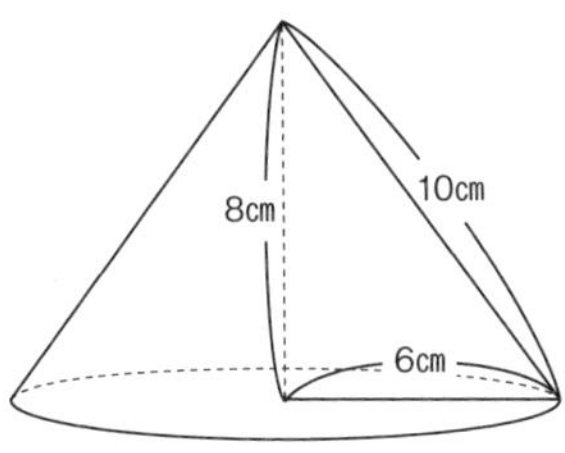

05
体積＝ 96 π cm³
表面積＝ 96 π cm²

(体積)
$6 \times 6 \times \pi \times 8 \div 3 = 96\pi$ cm³

(表面積)
低面積＋側面積＝ $6 \times 6 \times \pi + 6 \times 10 \times \pi = 96\pi$ cm²

(すい体の体積の求め方)
底面積×高さ÷ 3

(円すいの表面積の求め方)
底面積＋母線×半径×π

06
半径 3 cm の球の面積を求めなさい。

06
36 π cm²
$4 \times \pi \times 3^2 = 36\pi$ cm²

07
一辺が 6 cm の立方体と一辺が 12cm の立方体の表面積の比と体積の比を求めなさい。

07
長さの比＝ 1 : 2
面積比＝ 1 : 4
体積比＝ 1 : 8

２つの立方体の一辺の長さの比は 1 : 2 となる。

(面積比)
$1^2 : 2^2 = 1 : 4$ **(長さの 2 乗の比)**

(体積比)
$1^3 : 2^3 = 1 : 8$ **(長さの 3 乗の比)**

08
10 進法の 84 を 3 進法で表しなさい。

08
10010

```
3)84
3)28 … 0
3) 9 … 1
3) 3 … 0
   1 … 0
```
下から読み上げる

09
7 進法の 234 を 10 進法で表しなさい。

09
123
$2 \times 7^2 + 3 \times 7 + 4 = 123$

数学
図形・面積・体積・N進法

9 集合・確率

問題

設問を読んで以下の問いに答えよ。

01 50人のクラスにおいて交通機関の利用についてのアンケートを行ったところ、バスを利用する者が25人、電車を利用する者が38人であった。

①両方利用する者が20人いるとすると、両方利用しない者は何人か。

②両方利用しない者が5人いるとすると、両方利用する者は何人か。

02 100人の学生に対してスマートフォンとパソコンの所持についてアンケートを取ったところ、スマートフォンを持っているがパソコンを持っていない学生が27人、両方とも持っていない学生が3人であることがわかっている。

①パソコンを持っているがスマートフォンを持っていない学生が9人であるとすると、両方持っている学生は何人か。

②両方持っている学生が58人であるとすると、パソコンは持っているがスマートフォンを持っていない学生は何人か。

解答・解説

01 ①7人、②18人

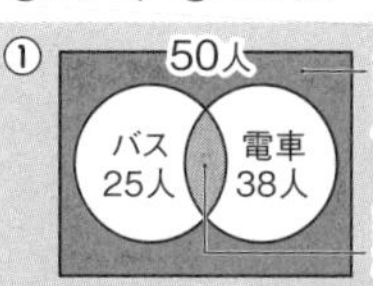

(電車かバスを利用する者)
25 + 38 − 20 = 43人
(両方利用しない者)
50 − 43 = 7人

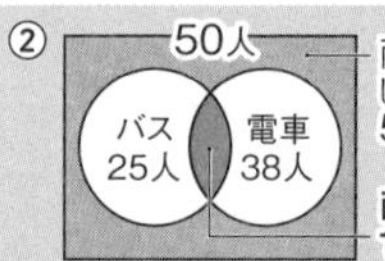

(電車かバスを利用する者)
50 − 5 = 45人
(両方利用する者)
25 + 38 − 45 = 18人

02 ①61人、②12人

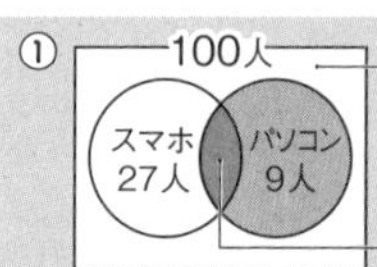

(スマートフォンかパソコンを持つ者)
100 − 3 = 97人
(両方持つ者)
97 −(27 + 9)= 61人

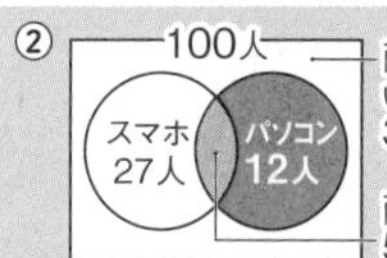

(スマートフォンかパソコンを持つ者)
100 − 3 = 97人
(スマートフォンを持っている学生)
27 + 58 = 85人
(パソコンのみを持つ学生)
97 − 85 = 12人

問題

03 10人のグループから1人の代表、1人の副代表、1人の経理を選ぶとすると、何通りの選び方があるか。

04 10人のグループから3人の掃除当番を選ぶとすると、何通りの選び方があるか。

05 サイコロを2個振って出た目の和が7になる確率を求めよ。

設問を読んで以下の問いに答えよ。

06 9人を3つのグループに分けることにする。

① 4人、3人、2人のグループに分けるとすると、何通りの分け方があるか。

② 3人ずつの3つのグループに分けるとすると、何通りの分け方があるか。

07 10本中3本の当たりが入ったくじがある。このくじを2回続けてひく。

①2本とも当たる確率を求めよ。

②1本が当たって1本がはずれる確率を求めよ。

解答・解説

03 **720通り**

(順列) $10 \times 9 \times 8 = 720$

04 **120通り**

(組み合わせ) $\frac{(10 \times 9 \times 8)}{(3 \times 2 \times 1)} = 120$

05 $\frac{1}{6}$

(サイコロの目の出方)
$6 \times 6 = 36$ 通り
和が7になるのは(1、6)、(2、5)…(6、1)の6通り。
よって $\frac{6}{36}$ になる。

06 **① 1260通り**
② 280通り

①
$\frac{(9 \times 8 \times 7 \times 6)}{(4 \times 3 \times 2 \times 1)} \times \frac{(5 \times 4 \times 3)}{(3 \times 2 \times 1)} \times \frac{(2 \times 1)}{(2 \times 1)} = 1260$
9人から4人選び、続けて残り5人から3人選ぶと考える。

②
3つのグループの区別がつかない。グループの順番は $3 \times 2 \times 1 = 6$ 通りなので、$1680 \div 6 = 280$ となる。
$\frac{9 \times 8 \times 7}{3 \times 2 \times 1} \times \frac{6 \times 5 \times 4}{3 \times 2 \times 1} \times \frac{3 \times 2 \times 1}{3 \times 2 \times 1} = 1680$

07 **① $\frac{1}{15}$、② $\frac{7}{15}$**

① $\frac{3}{10} \times \frac{2}{9}$
② $\frac{3}{10} \times \frac{7}{9} + \frac{7}{10} \times \frac{3}{9}$
1本目が当たり2本目がはずれるときと、その逆がある。

10 英語・数学・理科 生物

問題	解答・解説
01 **エンドウマメの交配実験**をくり返すことで発見された（ ① ）の法則、（ ② ）の法則、（ ③ ）の法則の3つをまとめた**遺伝に関する法則**を（ ④ ）の法則という。	**01** ①優性（顕性） ②分離 ③独立 ④メンデル
02 ある一定区域に生息する生物種について**「食べる・食べられる」**の関係をたどると、一連の鎖のようなつながりができていることを（ ① ）という。この中で生物は（ ② ）、（ ③ ）、（ ④ ）に分類される。	**02** ①食物連鎖、②生産者、③消費者、④分解者 生産者は**植物**、消費者は**草食動物（一次）**と**肉食動物（二次）**、分解者は**細菌などの菌類**が該当する。

次の細胞に関する説明と関係が深いものを語群から選びなさい。

問題	解答・解説
03 ①**呼吸の場**であり、酸素を用いて有機物から**エネルギー**を取り出す ②遺伝物質である**DNA**とタンパク質からなる ③**クロロフィル**を含み、**光合成**を行う ④**細胞を包む膜**で、脂質とタンパク質を主成分とする ⑤**セルロース**が主成分で細胞膜の外側のかたい層。**植物などに存在**する ⑥**タンパク質合成**の場で、RNAとタンパク質からなる	**03** ①ミトコンドリア ②染色体 ③葉緑体 ④細胞膜 ⑤細胞壁 ⑥リボゾーム

語群

細胞膜、細胞壁、染色体、
ミトコンドリア、葉緑体、液胞、
リボゾーム、リソゾーム

問題

解答・解説

04 植物は**光を受ける**ことによって、（　①　）と水から（　②　）などの**有機物を作る**ことができる。このはたらきを（　③　）といい、植物の細胞内にある（　④　）で行われる。

04 ①二酸化炭素
②デンプン
③光合成
④葉緑体

05 脊椎動物を分類すると、（　①　）類、**爬虫類**、**鳥類**、**両生類**、（　②　）類に分けることができる。ヘビは（　③　）類、ペンギンは鳥類、クジラは（　②　）類に分類される。

05 ①魚、②哺乳、③爬虫

ほかに、カエル・イモリは両生類、ヤモリは爬虫類。哺乳類は一般に胎生だが、カモノハシのように卵生の種もいる。

06 人は、取り入れた養分を消化液の中に含まれる（　①　）によって分解する。デンプンは（　②　）に、タンパク質は（　③　）に、脂肪は（　④　）と脂肪酸にそれぞれ分解されたのち、小腸で吸収される。

06 ①（消化）酵素
②ブドウ糖（グルコース）
③アミノ酸
④モノグリセリド

設問を読んで以下の問いに答えよ。

07 人の血液型の分類にはABO式がある。A、B、Oの3つのうち、2つが組み合わさることによって以下のように血液型が決定する。

A型：AAとAO　O型：OO
B型：BBとBO　AB型：AB

①父がAB型、母がO型のときにできる子の血液型でありえないのは何型か。
②父がA型のときにできる子の血液型が4種類すべてになり得ることはあるか。あるならばそのときの母の血液型は何型か。

07 ①AB型とO型
②母がB型ならばすべての血液型ができ得る

①の場合、父からはABのどちらかの因子、母からはOの因子しかもらえないので、AO（A型）かBO（B型）しか作られない。
②の場合、父がAO（A型）、母がBO（B型）であれば父と母から因子を1つずつもらうので、AO（A型）、BO（B型）、AB（AB型）、OO（O型）ができる。

11 英語・数学・理科
化学

問題	解答・解説
01 物質が温度や圧力によって、**固体**・**液体**・**気体**の３つの状態に変化することを（　　）という。	01 三態変化 このとき物質の化学式は**変化しない**。
02 **固体が液体**に変化することを（ ① ）、**気体が液体**に変化することを（ ② ）という。	02 ①融解、②凝縮 以前は両方とも昇華だったが、現在は液体にならず固体が直接気体になることを**昇華**、気体が直接固体になることを**凝華**という。
03 化学反応で**反応前後の物質の全質量が変化しない**ことを表すのは（　　）の法則。	03 質量保存
04 **物質 1mol** を構成する粒子の数はすべて等しく、その数を（　　）定数という。	04 アボガドロ 6.02×10^{23} と表される。
05 動植物を構成し、**炭素を骨格**とした物質のことを（　　）という。	05 有機物（有機化合物） これ以外を無機物という。
06 **物質が燃焼**するためには、燃えるもの・（　　）・発火点以上の温度が必要である。	06 充分な空気（酸素）
07 物質が酸素と化合、または水素を失う反応を（ ① ）といい、その逆を（ ② ）という。	07 ①酸化、②還元
08 酸と塩基が反応して水を作る反応を（　　）という。	08 中和 このときに生じる水以外の物質を**塩**（えん）という。

問題	解答・解説
09 **リトマス紙**に**塩酸**をたらしてみると（ ① ）色から（ ② ）色に変色する。	**09** ①青、②赤 酸性のときは**青→赤**、アルカリ性のときは**赤→青**。
10 水素が燃焼し、水ができる現象を反応式で書くと、2（ ① ）+（ ② ）→2（ ③ ）となる。	**10** ①H_2 ②O_2 ③H_2O
11 空気の中に約**20%**含まれ、物が**燃えるのを助ける**はたらきがある気体は（ ① ）で、化学式は（ ② ）である。	**11** ①酸素 ②O_2
12 炭素を含む物質を燃焼させると生じ、**地球温暖化**にも関係が深い気体を（ ① ）といい、その化学式は（ ② ）である。	**12** ①二酸化炭素、②CO_2 不完全燃焼では**一酸化炭素（CO）**を生じる。
13 原子は中心部分の**原子核**とそれを取り巻く**負の電気を持つ電子**からなり、これを放出すると（ ① ）、吸収すると（ ② ）となる。	**13** ①陽イオン、②陰イオン 電子（負）が放出されると全体の電荷は**正**となる。
14 **酸性やアルカリ性の強さ**を表す数字を（ ① ）といい、中性のときその値は（ ② ）となる。	**14** ①pH、②7 希薄な溶液では0～14の範囲で表され**7より小さいと酸性**、**大きいとアルカリ性**となる。
15 **酸化還元反応**を利用して、**電流を得る**装置を（ ① ）という。これに**充電**という操作をしてくり返し使用できるものを（ ② ）という。	**15** ①電池、②二次電池 充電ができないものを一次電池という。**二次電池**には自動車のバッテリーなどに使われる**鉛蓄電池**などがある。

12 英語・数学・理科
物理

問題

以下の説明と関係が深い人物を下の語群から選べ。

01 ①流体の中の物体は、その物体が押しのけた**流体の質量と同じ大きさの浮力**を受ける

②バネの**伸びの長さ**と加えられた**力の大きさ**は**比例**する

③緊急車両が近づくときはサイレンの音が高く聞こえ、遠ざかるときは低く聞こえる

④すべての物体は互いに引き合う力を持ち、その大きさは**質量に比例**し、**距離の二乗に反比例**する

⑤惑星は太陽を１つの焦点として**楕円軌道**を公転する

⑥抵抗器や電熱線を流れる**電流は、加えた電圧に比例**する

⑦温度が一定のとき、一定量の気体の体積は**圧力に反比例**する

語群

ドップラー、アルキメデス、オーム、フック、ニュートン、ケプラー、ジュール、ガリレオ、ボイル

解答・解説

01 ①アルキメデス

②フック

バネばかりはこの原理を利用している。

③ドップラー

音源と観測者との間に**相対速度が存在する**ことによって起こる。

④ニュートン

万有引力の法則という。

⑤ケプラー

⑥オーム

電圧は**「抵抗×電流」**で求められる。

⑦ボイル

ボイルの法則という。一定圧力のときは、**体積は絶対温度に比例**する。これを**シャルルの法則**という。

問題	解答・解説

02 以下の電気回路について、電流の大きさを求めよ。

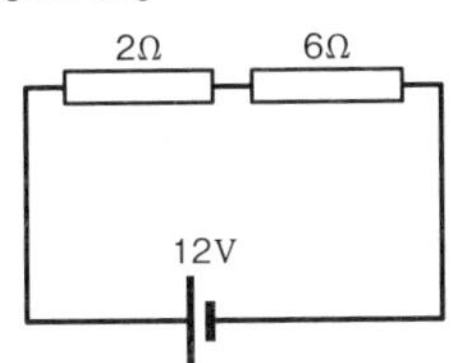

02 1.5A

抵抗が直列のとき、

$R = R_1 + R_2 = 2 + 6 = 8\Omega$

電流＝ 12 ÷ 8 ＝ 1.5

03 以下の電気回路について、電流の大きさを求めよ。

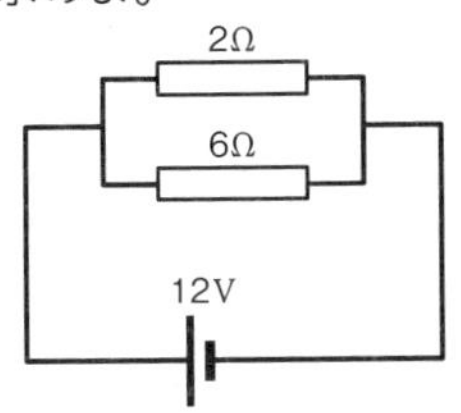

03 8A

抵抗が並列のとき、

$\frac{1}{R} = \frac{1}{R_1} + \frac{1}{R_2}$

$= \frac{1}{2} + \frac{1}{6} = \frac{2}{3}$

$R = 1.5\Omega$

電流＝ 12 ÷ 1.5 ＝ 8

04 下図のてこがつり合っているとき、Aの重さはいくらか。なお、てこの重さは考えないものとする。

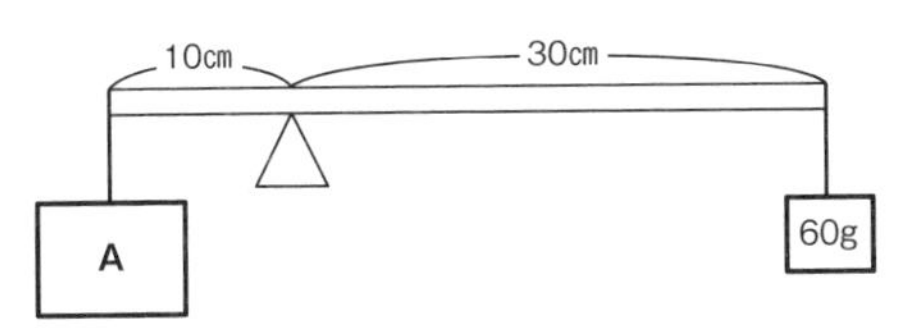

04 180g

A × 10 ＝ 60 × 30

右のモーメント＝左のモーメント

モーメント＝支点からの距離×重さ

05 右の滑車についてBが120gのとき、Aを何gにすればつり合うか。なお滑車の重さは考えないものとする。

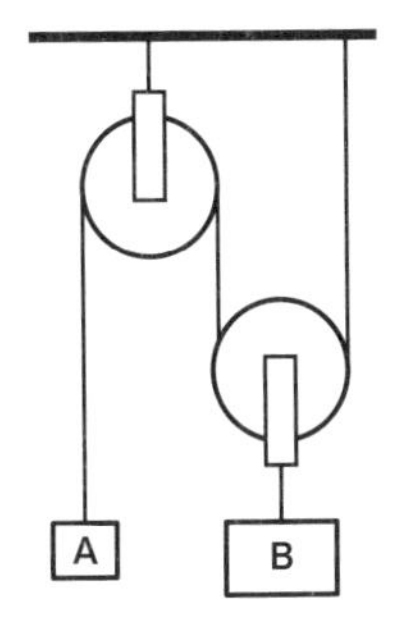

05 60g

滑車の両側のひもにかかる力の大きさは等しいので、動滑車（右の滑車）にかかる120gは左右60gずつに分けられる。その力は定滑車（左の滑車）を通してAとつり合う。

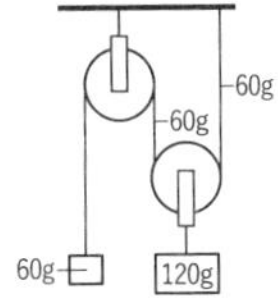

理科

物理

13 英語・数学・理科
地学・科学

問題	解答・解説
01 川のように水が流れることで地形を変える3つの作用がある。これを(①)作用・(②)作用・(③)作用という。	**01** ①浸(しん)食、②運搬、③堆積 川の上流では**浸食・運搬作用**が大きく、下流では**堆積作用**が大きい。
02 川が山地から出るときに運ばれてきた土砂が**おうぎを広げたような形**になった地形を(　　)という。	**02** 扇状地 流れが急にゆるやかになることで**運搬作用が弱まり**、土砂が堆積する。
03 河口付近で見られる地形で**三角形に近い平らな土地**を(　　)という。	**03** 三角州 **デルタ**ともいう。
04 その生物が存在していた**時代を決める**のに役立つ化石を(①)といい、その当時の**環境を推定**するのに役立つ化石を(②)という。	**04** ①示準化石、②示相化石
05 小石や砂などが堆積し、重なってできた厚い層のことを(　　)という。	**05** 地層 地層に大きな力が加わることで、**しゅう曲や断層**といった変形が起こる。
06 ある地層の中に**三葉虫**の化石が見つかった。この層が堆積した地質年代は(①)と考えられる。また、(②)の化石が見られる層では**暖かく、浅い海**であったことが推定される。	**06** ①古生代　②サンゴ 三葉虫は**示準化石**である。示準化石は生きていた時代が短く、世界中に多数分布していることが必要。
07 **貝やサンゴの死骸が堆積**してできた岩石で、塩酸をかけると**二酸化炭素**を発生する堆積岩を(①)といい、**マグマが冷えて**固まった状態の岩石を(②)という。	**07** ①石灰岩、②火成岩 火成岩は**浅いところでできる火山岩と、深いところでできる深成岩**に分けられる。

問題	解答・解説
08 地球内部は非常に**温度が高く**なっており、（　　）という岩石などが**溶けた状態**である。	**08** マグマ
09 火山の噴火によって噴出されるものについて、**2mm未満の固体**を（①）、それ以上のものを（②）という。吹き飛ばされたマグマが**空中で冷えて固まった**ものは（③）という。	**09** ①火山灰、②火山れき、③火山弾 火山灰は広範囲に拡散するため、離れた**地域の地層の年代特定**に役立つ。
10 2014年に噴火を起こし、50名を超える死者を出した長野県と岐阜県の県境にある山は（　　）である。	**10** 御嶽山
11 地球の**表面をおおう厚さ約100km**の岩盤を（①）といい、それが**海底に沈み込む**部分を（②）という。	**11** ①プレート、②海溝 プレートが作られて海底に出てくる場所を**海嶺**という。
12 地震が**発生した場所**を（①）といい、その**真上の地表の地点**を（②）という。	**12** ①震源、②震央
13 地震の波には2種類ある。**小さな揺れ**を起こし、伝わる**速さの速い**（①）波と**大きな揺れ**を起こし、伝わる**速さが遅い**（②）波である。	**13** ①P、②S
14 **小さな揺れが起きてから大きな揺れが起こるまで**の時間を（　　）という。	**14** 初期微動継続時間 この時間が**短いほど震源に近く、長いほど震源から遠く**なる。

14 英語・数学・理科 気象学・天体

問題

気象現象に関する説明文と関係の深い語句を下の語群から選べ。

01

①湿った風が山を越えるときに**気温が高くなり乾燥することで、付近の気温が上昇する**現象

②熱帯低気圧が発達し、**最大風速が17.2m/s 以上**のもの

③地球の**中緯度の上空**を吹く西よりの風

④5月から7月にかけて**日本付近に発生**する停滞前線

⑤**南米ペルー沖**の海面水温が平年より高い状態が長く続く

⑥台風などの影響で**気圧が低下し海面が上昇**する

⑦**立春**のころに吹く強い南風

⑧暖められた地表の熱が、保温効果を持つガスにより宇宙空間へ逃げていかず、地表が保温される現象

語群

梅雨前線、秋雨前線、偏西風、エルニーニョ現象、ラニーニャ現象、フェーン現象、台風、春一番、ゲリラ豪雨、高潮、津波、地球温暖化、温室効果、放射冷却

解答・解説

01

①フェーン現象

②台風

③偏西風

④梅雨前線

オホーツク海気団と小笠原気団の衝突により発生する。

⑤エルニーニョ現象

ラニーニャ現象は**東太平洋赤道付近の海面水温が低い状態**を指す。

⑥高潮

⑦春一番

⑧温室効果

温室効果が続き、地球の**平均気温が上昇**していくことを**地球温暖化**という。

問題	解答・解説
02 真夏日とは1日の最高気温が（ ① ）度以上となる日をいい、猛暑日は1日の最高気温が（ ② ）度以上となる日である。また夜の最低気温が25度以上になる日を（ ③ ）という。	**02** ①30、②35、③熱帯夜
03 太陽系は恒星である太陽とその周りを公転する**8つ**の（ ① ）と**5つ**の（ ② ）、それらを公転する（ ③ ）や小天体などからなる。	**03** ①惑星、②準惑星、③衛星 惑星は、太陽に近い側から水星、金星、地球、火星、木星、土星、天王星、海王星となる。
04 月と地球の距離は約（ ① ）km、地球と太陽の距離は約（ ② ）kmである。	**04** ①38万、②1億5000万 太陽は**直径約140万km**、月は**直径約3500km**だが、地球から見るとほぼ同じ大きさに見える。
05 2010年に小惑星探査機（ ① ）が天体表面の**資料回収に成功**した小惑星は（ ② ）である。	**05** ①はやぶさ、②イトカワ
06 **地上約600km**の軌道を周回し、大気や天候による影響を受けずに精度の高い天体観測を可能としているのは（ 　 ）宇宙望遠鏡である。	**06** ハッブル
07 星の明るさは（ ① ）という単位で表し、その値が1違うと明るさが約（ ② ）倍異なる。	**07** ①等級、②2.5 1等級と6等級では**約100倍**違う。
08 北の空にある、**いつも同じ位置に見える星**を（ ① ）といい（ ② ）座に含まれる。	**08** ①北極星、②こぐま
09 **夏の大三角形**とは、はくちょう座の（ ① ）と、こと座の（ ② ）と、わし座の（ ③ ）を結んだ三角形のことである。	**09** ①デネブ、②ベガ、③アルタイル **冬の大三角形**は、子犬座のプロキオン、オリオン座のベテルギウス、大犬座のシリウスとなる。

おさらいしよう！

実力テスト

問題

空欄に入る語句を答えよ。

01 知らぬが仏：Ignorance is (　　).

02 地球温暖化：(　　) warming

03 模範となる人のことを (　　) model という。

04 原価 1,500 円の品物に 4 割の利益を見込んで定価をつけると（　　）円となる。

05 正六角形の 1 つの内角の大きさは（　　）°である。

06 6 人のグループから代表 1 人・副代表 1 人を選ぶと（　　）通りの選び方がある。

07 メンデルの遺伝の法則には、優性（顕性）・分離・(　　) の法則がある。

08 酸素は空気中の約 (　　) %を占め、物が燃えるのを助けるはたらきを持つ。

09 三葉虫のように生きていた時代が推定できる化石を（　　）という。

10 （　　）現象とは南米ペルー沖の海面水温が平年より高い状態が続く現象のことをいう。

解答

01	02	03	04	05
bliss ➡ P136	global ➡ P138	role ロールモデル ➡ P140	2,100 円 ➡ P142	120 ➡ P144
06	**07**	**08**	**09**	**10**
30 ➡ P146	独立 ➡ P148	20 ➡ P150	示準化石 ➡ P154	エルニーニョ ➡ P156

MEMO

■著者紹介■

柳本新二（やなぎもと しんじ）

株式会社Business Career Gate代表。大学卒業後約30年間、学習塾経営、就職予備校講師を経て、厚生労働省社会人再雇用講師、経済産業省アジア人財資金構想留学生就職支援講座企画・講師、大学教授を歴任。2011年度より芝浦工業大学、2015年度より東京大学留学生支援講師、早稲田大学就職支援講師、2019年度より大東文化大学でSPI講義兼務。著書に『ドリル式 SPI問題集』（永岡書店）、『最新! SPI3完全版』（高橋書店）など多数。

装丁：若井夏澄
本文デザイン・DTP：東京100ミリバールスタジオ
イラスト：ハザマチヒロ
校正：ぷれす
編集制作：岡田直子・笹木はるか（ヴュー企画）
営業：佐藤望（TAC出版）
編集統括：田辺真由美（TAC出版）

2027年度版
一般常識（いっぱんじょうしき）&時事問題（じじもんだい）の教科書（きょうかしょ） これさえあれば。

2024年12月10日 初版 第1刷発行

著　者　柳本新二
発行者　多田敏男
発行所　TAC株式会社 出版事業部（TAC出版）
〒101-8383東京都千代田区神田三崎町3-2-18
電話 03（5276）9492（営業）
FAX 03（5276）9674
shuppan.tac-school.co.jp

印　刷　株式会社光邦
製　本　東京美術紙工協業組合

ISBN 978-4-300-11593-0
N.D.C. 377

書籍の正誤に関するご確認とお問合せについて

書籍の記載内容に誤りではないかと思われる箇所がございましたら、以下の手順にてご確認とお問合せをしてくださいますよう、お願い申し上げます。
なお、正誤のお問合せ以外の**書籍内容に関する解説および受験指導などは、一切行っておりません。**
そのようなお問合せにつきましては、お答えいたしかねますので、あらかじめご了承ください。

1 「Cyber Book Store」にて正誤表を確認する

TAC出版書籍販売サイト「Cyber Book Store」のトップページ内「正誤表」コーナーにて、正誤表をご確認ください。

CYBER TAC出版書籍販売サイト BOOK STORE

URL:https://bookstore.tac-school.co.jp/

2 1の正誤表がない、あるいは正誤表に該当箇所の記載がない ⇒ 下記①、②のどちらかの方法で文書にて問合せをする

★ご注意ください★

お電話でのお問合せは、お受けいたしません。
①、②のどちらの方法でも、お問合せの際には、「お名前」とともに、
「対象の書籍名(○級・第○回対策も含む)およびその版数(第○版・○○年度版など)」
「お問合せ該当箇所の頁数と行数」
「誤りと思われる記載」
「正しいとお考えになる記載とその根拠」
を明記してください。
なお、回答までに1週間前後を要する場合もございます。あらかじめご了承ください。

① ウェブページ「Cyber Book Store」内の「お問合せフォーム」より問合せをする

【お問合せフォームアドレス】

https://bookstore.tac-school.co.jp/inquiry/

② メールにより問合せをする

【メール宛先　TAC出版】

syuppan-h@tac-school.co.jp

※土日祝日はお問合せ対応をおこなっておりません。
※正誤のお問合せ対応は、該当書籍の改訂版刊行月末日までといたします。

乱丁・落丁による交換は、該当書籍の改訂版刊行月末日までといたします。なお、書籍の在庫状況等により、お受けできない場合もございます。
また、各種本試験の実施の延期、中止を理由とした本書の返品はお受けいたしません。返金もいたしかねますので、あらかじめご了承くださいますようお願い申し上げます。

(2022年7月現在)

CONTENTS

最新時事

キーワードで一気に覚える

1 最新時事
パンデミック・流行病

ポイントはココ！

- ○**パンデミック**とは、世界的に感染症が大流行し、多くの感染者や死者が発生すること
- ○**アウトブレイク**は特定の期間に特定の場所・集団で起きる大規模感染
- ○日本では重篤度などに応じ、感染症を主に**5種**に分類

代表的な世界の感染症

天然痘
16世紀に、コロンブスの上陸によりアメリカ大陸で流行。
WHOが**1980年に根絶宣言**

ペスト
14世紀にヨーロッパで流行。
『黒死病』と呼ばれた

インフルエンザ
1918年：**スペインかぜ**
1968年：**香港かぜ**
2009年：**新型インフルエンザ**

エムポックス（サル痘）
2022年5月以降、欧米を中心に流行国への海外渡航歴のないエムポックス（サル痘）患者が相次ぐ。同年9月時点で世界で**約6万人**が感染

新興感染症
最近新しく認知され、公衆衛生上の問題となる感染症を新興感染症という。

1976年：**エボラ出血熱**
1981年：**エイズ（後天性免疫不全症候群）**
1997年：**高病原性鳥インフルエンザ**
2002年：**SARS（重症急性呼吸器症候群）**
2012年：**MERS（中東呼吸器症候群）**
2019年：**新型コロナウイルス感染症**
2020年：**新型コロナウイルス感染症**
1月：日本国内初の感染者確認
2023年：**新型コロナウイルス感染症**
制限の少ない5類感染症に移行。
2024年：**新型コロナウイルス感染症**
ワクチンや治療薬の自己負担が増加。新型コロナウイルス感染症以外にも、手足口病や「人食いバクテリア」と呼ばれる劇症型溶血性レンサ球菌感染症などが増加している。

スペインかぜの死亡者は一説には1億人以上ともいわれている。一時は患者数が減少していたが、再び流行しはじめた感染症を再興感染症という。

問題

01 感染症が**世界的に大流行**し、多くの感染者や死者が発生することを（　　）という。

02 一定期間内に特定の地域、集団で予想より多くの感染症が発生することを（　　）という。

03 2022年7月にWHOが緊急事態宣言を出した3つ目の感染症は（　　）である。

04 2類感染症よりも厳しい制限を課すことができる（　①　）に分類された新型コロナウイルス感染症は、2023年5月に（　②　）に分類が引き下げられた。

05 2014年に、**約70年ぶりに国内感染**を引き起こした発熱性の感染症は（　　）である。

06 2024年夏季には3大夏かぜともいわれる（　①　）・（　②　）・（　③　）の増加がみられたほか、致死率が高い（　④　）も感染者数が国内過去最多となっている。

07 感染症の拡大防止などのため、人びとの外出や行動を制限する措置を（　　）という。

解答・解説

01 パンデミック

一定地域に一定数起こるのが**エンデミック**、特定の一時期に予想を超えて広がるのが**エピデミック**である。

02 アウトブレイク

03 エムポックス（サル痘）

2022年時点、**新型コロナウイルス感染症**と**ポリオ**、**エムポックス（サル痘）**の3つに緊急事態宣言が出ている。

04 ①新型インフルエンザ等感染症
②5類感染症

感染者の外出自粛要請がなくなった。

05 デング熱

蚊の媒介によって感染する。

06 ①手足口病
②ヘルパンギーナ
③プール熱（咽頭結膜熱）
④人食いバクテリア（劇症型溶血性レンサ球菌感染症）

07 ロックダウン

封鎖や閉鎖の意味を表す。

2 最新時事
ロシア・ウクライナ侵攻① 背景

ポイントはココ!

- ○両国は**旧ソビエト連邦の共和国**の1つ
- ○2014年にウクライナは**CIS**（**独立国家共同体**）を脱退宣言
- ○日・米・EUは**対ロシア経済制裁**を行う

ウクライナと周辺の国々

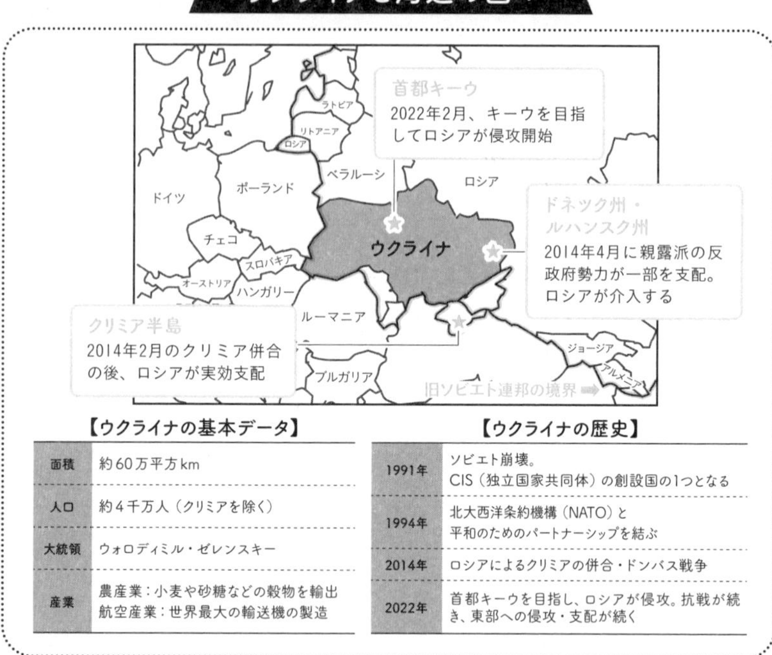

【ウクライナの基本データ】

面積	約60万平方km
人口	約4千万人（クリミアを除く）
大統領	ウォロディミル・ゼレンスキー
産業	農産業：小麦や砂糖などの穀物を輸出 航空産業：世界最大の輸送機の製造

【ウクライナの歴史】

1991年	ソビエト崩壊。 CIS（独立国家共同体）の創設国の1つとなる
1994年	北大西洋条約機構（NATO）と 平和のためのパートナーシップを結ぶ
2014年	ロシアによるクリミアの併合・ドンバス戦争
2022年	首都キーウを目指し、ロシアが侵攻。抗戦が続き、東部への侵攻・支配が続く

ウクライナはCISの創設国の1つではあるものの1993年に制定されたCIS憲章を批准していないため、正式な加盟国ではなかったが、参加は認められていた。

問題	解答・解説
01 ウクライナの首都は（ ① ）で元首は2019年より（ ② ）大統領である。	**01** ①キーウ（キエフ） ②ウォロディミル・ゼレンスキー
02 ロシアの首都は（ ① ）で元首は2012年より（ ② ）大統領である。	**02** ①モスクワ ②ウラジーミル・プーチン 現在は第4代。2000年から2008年まで第2代大統領も務めた。
03 **2014年**にロシアが（　　）の併合を行い、実効支配が続くが、係争が続いている。	**03** クリミア
04 ウクライナの輸出品目の**約20%**は（ ① ）であり、旧ソビエト連邦時代のウクライナは（ ② ）、（ ③ ）、（ ④ ）などの軍需産業に長けていた。	**04** ①穀物、②鉄鋼、③造船、 ④航空宇宙産業
05 天然ガス・石油資源の少ないウクライナは原子力発電への依存が高く、**1986年に事故**を起こした（　　）発電所がある。	**05** チョルノービリ（チェルノブイリ） チョルノービリはウクライナ語の表記で、チェルノブイリはロシア語に由来する表記。
06 軍事侵攻をきっかけに、世界的に（ ① ）が加速し、（ ② ）や（ ③ ）などの**エネルギー資源の高騰**が生じた。	**06** ①インフレ、②原油、 ③天然ガス
07 ロシアに対する経済制裁として、米欧が主導する銀行決済網（　　）からロシアの一部銀行を除外した。	**07** 国際銀行間通信協会（SWIFT） **世界で1万1000以上**の金融機関が利用している。

最新時事

3 ロシア・ウクライナ侵攻② 経済

- ○共産主義国だった東欧諸国がNATOに加盟する動きを**NATOの東方拡大**という
- ○**クリミア併合**でロシアとNATOの関係が悪化
- ○**ウクライナ侵攻**によりNATOの東方拡大が進む

NATOの東方拡大とウクライナ

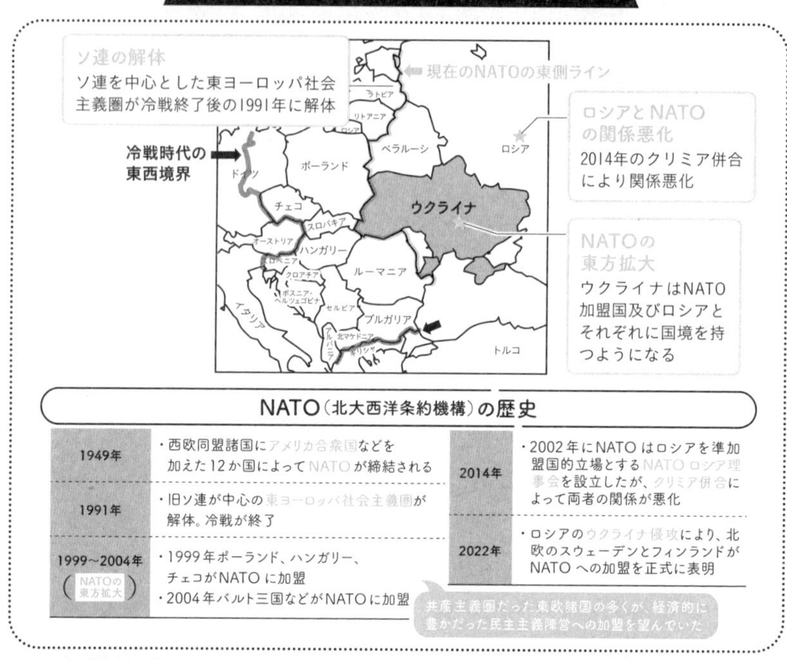

NATO(北大西洋条約機構)の歴史

1949年	・西欧同盟諸国にアメリカ合衆国などを加えた12か国によってNATOが締結される
1991年	・旧ソ連が中心の東ヨーロッパ社会主義圏が解体。冷戦が終了
1999〜2004年(NATOの東方拡大)	・1999年ポーランド、ハンガリー、チェコがNATOに加盟 ・2004年バルト三国などがNATOに加盟
2014年	・2002年にNATOはロシアを準加盟国的立場とするNATOロシア理事会を設立したが、クリミア併合によって両者の関係が悪化
2022年	・ロシアのウクライナ侵攻により、北欧のスウェーデンとフィンランドがNATOへの加盟を正式に表明

旧ユーゴスラビア(スロベニア、クロアチア、セルビア、ボスニア・ヘルツェゴビナ、北マケドニア、モンテネグロ)はワルシャワ条約機構に不参加であったが、社会主義国のため東側として分類する。

問題	解答・解説
01 ロシア・ウクライナともに(　　)の輸出量が世界でもトップレベルである。	**01** 穀物 小麦が最も盛んで大麦やとうもろこしも増加。**世界1位はアメリカ**。
02 日本の対ロシアの輸入額は(　①　)や石炭、原油などのエネルギー資源に加えて、産業資源として(　②　)が高い。	**02** ①液化天然ガス ②非鉄金属 ロシアの**液化天然ガス**の生産量は**世界2位**、原油は**世界3位**となる。
03 日本企業も権益を持つロシア極東の**液化天然ガス**の開発事業を(　　)という。	**03** サハリン2 **三井物産**と**三菱商事**が参画。生産量の6割近くを日本向けに供給する長期契約を結んでいる。
04 ロシアの貿易相手国は(　①　)が輸出・輸入ともトップであり、欧米が対**ロシア経済制裁**を行う中、ロシアからの(　②　)や(　③　)の輸入が増加している。	**04** ①中国、②原油 ③液化天然ガス 輸出相手国に占める**EU諸国の割合は半分近く**だが、一国では中国が1位。
05 2022年7月、トルコの(　①　)で(　②　)を通じたウクライナの穀物輸出とロシアの肥料輸出を可能にする合意が調印される。	**05** ①イスタンブール、②黒海 国連とトルコが仲介を行い、軍事侵攻以降の初の政治合意となる。ロシアの肥料輸出は世界最大で、肥料価格指数も最高値を更新。
06 2022年8月、EU諸国はロシア産の(　　)の全面禁輸を実施。	**06** 石炭 ロシアはオーストラリア、インドネシアに次いで**世界3位**の石炭輸出国。
07 2023年、ロシアに隣接した(　　)がNATO(北大西洋条約機構)に正式加盟した。	**07** フィンランド 翌年スウェーデンも加盟し、現在の加盟国は32か国。

4 最新時事
パリオリンピック

ポイントは ココ！

- ○200を超える国が参加。パリでの開催は3回目
- ○日本の金メダル数と総メダル数は**海外開催のオリンピックでは過去最高**
- ○CO_2削減のため**サステナビリティ**を導入。会場のセーヌ川の汚染や選手村の設備など課題も残った

パリオリンピックの開催まで

大会スローガン
『Games Wide Open（広く開かれた大会）』

3つの柱
- ・セレブレーション（祭典）：開会式や競技を史跡や建築遺産を舞台にして行うことで外に開かれた大会とする。競技はフランス国土の広範囲で行う
- ・レガシー（遺産）：社会的な課題に大きく向き合う。会場の多くを仮設・既存施設の利用で二酸化炭素排出量を大幅に削減
- ・エンゲージメント（全員参加）：団体や自治体を通じて、フランス人や海外フランス語圏の人々が参加するプログラム。さらに一般参加型のプログラムを推進

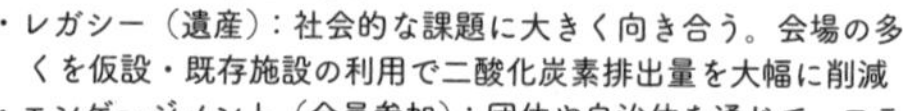

実施競技と開催までの流れ

32競技 329種目 ｜ 新種目 ○ダンススポーツ競技『ブレイキン』

2017年9月	ペルーのIOC総会で正式に承認
2024年7月26日～8月11日	第33回大会　207の参加国・地域から約10500人が参加

メダル獲得数

順位	国	金	銀	銅
1位	アメリカ	金：40個	銀：44個	銅：42個
2位	中国	金：40個	銀：27個	銅：24個
3位	日本	金：20個	銀：12個	銅：13個

日本の金メダル獲得数と総メダル数は、海外開催のオリンピックでは過去最多となる

オリンピックから引き続いて、2024年8月28日から9月8日にパラリンピックが行われた。

問題	解答・解説
01 （ ① ）年、（ ② ）の首都（ ③ ）で行われたIOC総会によって夏季パリオリンピックの開催が決定した。	**01** ①2017、②ペルー ③リマ アメリカのロサンゼルスと競合していた。
02 パリオリンピックは第（ ① ）回夏季オリンピック競技大会となり、パリでは（ ② ）回目の開催となる。	**02** ①33、②3 パリでの開催は1900年、1924年以来の**3回目**。フランスでの開催は冬季も入れて6回目。
03 開会式は夏季オリンピックでは前例のないスタジアムの外で、（　　）を選手が乗った船が航行する演出を行った。	**03** セーヌ川 トライアスロンの会場にもなったが、**汚染**が問題視された。
04 会場はフランス国土全体に及び、（ ① ）地区、（ ② ）地区、その他の地域と分けられ、フランスを代表する名所に特設された会場や既存の会場で行った。	**04** ①パリ ②イル・ド・フランス オリンピック専用に建設されたのは、アクアティクス・センターとル・ブルジェ・スポーツクライミング会場の2つのみ。
05 競技数は、（ ① ）競技（ ② ）種目で、新種目は（ ③ ）種目。	**05** ①32、②329、③1 新種目は**ブレイキン**が追加されたが、**2028年のロサンゼルスオリンピックの実施競技からは除外**された。
06 日本のメダル獲得数は金（ ① ）個、銀（ ② ）個、銅（ ③ ）個で海外開催のオリンピックとしてはメダル総数、金メダルの獲得数が過去最多となった。	**06** ①20、②12、③13 海外開催オリンピックのメダル総数で、過去の最多は2016年のリオデジャネイロオリンピックの**41個**。2020東京オリンピックでは58個。
07 オリンピックでのトラック・フィールド種目で女子初の金メダルとなったのは（ ① ）の（ ② ）選手。	**07** ①やり投げ、②北口榛花（はるか）

最新時事

5 最新スポーツ

ポイントはココ!

- 新型コロナウイルス感染症の5類移行に伴い、スポーツ観戦も以前の水準に回復
- 感染症対策を徹底した上で**有観客での実施**が増加
- 新しいジャンルの**eスポーツ**に注目が集まる

スポーツの最新動向

2023年		2024年	
9月	ベルリンマラソンでティギスト・アセファが女子世界記録を2分以上更新して優勝	1月	箱根駅伝（第100回）で青山学院大学が総合優勝 大阪国際女子マラソンで前田穂南が2位（19年ぶりの日本記録更新）
		3月	フィギュアスケート世界選手権の女子シングルで坂本花織が3連覇
10月	世界体操競技選手権で橋本大輝が連覇 シカゴマラソンでケルビン・キプタムが世界記録を更新して優勝	5月	平昌オリンピックのフィギュアスケート銀メダリストの宇野昌磨が現役引退を表明
		6月	ゴルフ全米女子オープンで笹生優花が優勝、渋野日向子が2位
		7月	パリオリンピック開催

eスポーツの参入

eスポーツとは?

・エレクトロニック・スポーツの略称

・コンピューターゲームやビデオゲームを使った対戦をスポーツ競技として捉える際の名称

2019年以来

「全国都道府県対抗eスポーツ選手権」が行われている

2023年9月

eスポーツとして杭州アジア競技大会での正式種目7種目が発表された

問題

01 2024年の**箱根駅伝**の優勝校は（　　）である。

02 大相撲2024年7月場所は（ ① ）での開催が最後となり、（ ② ）が優勝した。

03 2024年3月にカナダで行われたフィギュアスケート世界選手権で、（　　）が3連覇を遂げた。

04 東京マラソン2024において、男子の部の優勝者は（ ① ）、女子の部の優勝者は（ ② ）だった。

05 2024年テニス全豪オープンのシングルスでは男子は（ ① ）が初優勝、女子は（ ② ）が2連覇となる。

06 2024年のゴルフ全米女子オープンにおいて、（　　）が優勝した。

07 柔道グランドスラム東京2023では、東京オリンピックでも兄妹で金メダルをとった（ ① ）と（ ② ）が優勝している。

08 2023年バスケットボールW杯で日本は（　　）を破り、パリオリンピックの出場権を得る。

解答・解説

01 青山学院大学

2年ぶり7回目の優勝となる。

02 ①ドルフィンズアリーナ（愛知県体育館）
②照ノ富士

名古屋場所はドルフィンズアリーナで60年近く開催され、**2025年よりIGアリーナ**での開催となる。

03 坂本花織

女子シングルでの世界選手権3連覇は**日本人では男女ともに初**。

04 ①ベンソン・キプルト（ケニア）
②ストゥメ・アセファ・ケベデ（エチオピア）

西山雄介が日本人のトップだったが、パリオリンピック代表派遣基準設定タイムを上回れなかった。

05 ①ヤニック・シナー（イタリア）
②アリーナ・サバレンカ（ベラルーシ）

06 笹生優花

この大会では渋野日向子が単独2位となり**日本人選手のワンツーフィニッシュ**となった。

07 ①阿部一二三
②阿部詩

08 カーボベルデ

予選突破での自力出場は**48年**ぶり。

6 最新時事 岸田内閣から石破内閣へ

ポイントはココ！

○**与党**である自民党の総裁が内閣総理大臣となる

○岸田総理が**総裁選を辞退**したことにより**岸田内閣も退陣**となる

○自民党総裁選は**9人**の立候補者の中から**石破茂氏**が選出された

岸田内閣発足から石破内閣へ

石破内閣発足までの動き			
2021年9月	岸田文雄氏が自民党総裁に就任	2024年9月12日	自民党総裁選告示（立候補者9人）
2021年10月	岸田文雄氏が内閣総理大臣に就任。第1次岸田内閣発足	2024年9月27日	投票・開票により石破茂氏が自民党新総裁に選出される
2024年8月	岸田文雄氏、自民党総裁選への不出馬表明	2024年10月1日	石破茂氏が内閣総理大臣に就任

岸田内閣の主要政策

①異次元の少子化対策

●経済支援の強化　●こども未来戦略方針

②新しい資本主義 成長と分配の好循環

●成長戦略　●分配戦略
●すべての人が生きがいを感じられる社会の実現

③国益を守り、国際社会を主導する外交・安全保障

●我が国の平和と安定を守り抜く
●地球規模の課題に向き合い、人類に貢献し、国際社会を主導する

④生命・財産・暮らしを守る災害対応

●防災・減災、国土強靭化の推進　●自然災害からの復旧や復興の加速

石破茂氏 プロフィール

石破茂（いしば しげる）首相

・1957年2月4日生
・防衛庁長官・防衛大臣・農林水産大臣を歴任
・2024年9月より第28代自民党総裁就任
・2024年10月より第102代内閣総理大臣就任

問題	解答・解説
01 第（ ① ）・（ ② ）代の内閣総理大臣を務めた（ ③ ）氏が退任し、自民党の新総裁となった（ ④ ）氏が内閣総理大臣に就任した。	01 ①100、②101、③岸田文雄、④石破茂 第一次石破内閣発足後、衆議院解散総選挙となり与党の議席数が過半数を割った。これにより2024年11月に特別国会が招集されて首相指名選挙が行われ、決選投票を経て**103**代首相に選出された。
02 自民党総裁選は（ ① ）人の立候補者によって争われ、（ ② ）氏と（ ③ ）氏の決選投票が行われた。	02 ①9、②石破茂、③高市早苗 立候補者は高市早苗氏、小林鷹之氏、林芳正氏、小泉進次郎氏、上川陽子氏、加藤勝信氏、河野太郎氏、石破茂氏、茂木敏充氏（届出順）の**9**人で過去最多。
03 内閣総理大臣は（ ① ）の中から国会の議決で（ ② ）されたのちに、国務大臣の選考、いわゆる（ ③ ）を行う。これが完了すると引き続いて天皇による内閣総理大臣の（ ④ ）が行われる。	03 ①国会議員、②指名、③組閣、④任命 内閣総理大臣の指名は投票の過半数を得ることが必要なので、現在は多数党となる自民党の総裁が内閣総理大臣に就任している。国務大臣は内閣総理大臣が任命し、天皇はこれを認証する。
04 岸田内閣の政策として（ ① ）による所得と生産性の向上を目指し、最低賃金の全国平均は初の（ ② ）円台を達成。日経平均株価は一時、史上初の（ ③ ）円台に達した。	04 ①賃上げ、②1000、③4万 岸田内閣発足当時の日経平均株価は2万8000円前後。
05 岸田内閣の政策の1つである感染症対策では、社会の負荷を減らしながら社会経済活動を維持させるため、2023年5月に新型コロナウイルス感染症を感染症法の（ ① ）類に移行させ、新たな感染症対策の司令塔となる（ ② ）を2023年9月に設置した。	05 ①5、②内閣感染症危機管理統括庁 2025年にはアメリカの疾病管理予防センターをモデルに国立健康危機管理研究機構が創設される。

7 最新時事
日本国内の出来事

ポイントはココ!

- 2024年4月より物流・運送業のドライバーにも時間外労働規制が適用され、人員の確保が難しくなる
- **原油価格高騰・円安**による物価高騰が生活を直撃
- **豪雨**や**地震**などの災害

価格高騰と金利政策

金利と経済

2024年3月 日本銀行がマイナス金利を解除

マイナス金利とは?

日本銀行が金融機関から預かる預金に、通常は利子がつくところを、反対に手数料を払ってもらうしくみ。損を避けたい金融機関が企業への貸出や投資に使うことを期待するための政策

各国の政策金利(2024年4月時点)

国	政策金利
アメリカ	5.25～5.50%
欧州	4.50%
イギリス	5.25%
オーストラリア	4.35%
日本	0～0.10%

金利の変動が経済に与える影響

○金利が下がる

➡金融機関が低い金利で資金を調達できる
➡企業や個人に対する貸付の金利が下がる
➡経済活動活発化➡景気上昇➡物価上昇

対策 **景気を上向かせる「金融緩和政策」**

○金利が上がる

➡金融機関が高い金利で資金を調達することに
➡企業や個人に対する貸付の金利が上昇する
➡経済活動が抑制される
➡景気下降➡物価下降

対策 **景気の過熱を抑える「金融引締め政策」**

物価高騰の流れ

進む円安

2021年11月 1ドル115円台
2022年 9月 1ドル145円台
2023年10月 1ドル150円台

⬇

小麦や石油など輸入品の価格上昇

⬇

- 政府は燃料費高騰を回避するため高騰抑制施策発動
- ガソリンや灯油などに政府から補助金が支給されている(2024年10月時点)

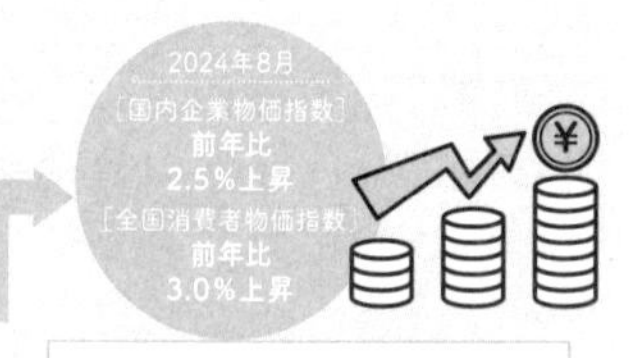

- 2024年度予算は110兆円超えの一般会計総額112兆5717億円
- 2023年度補正予算は物価高対策などを目的に13兆1992億円

問題

01 2024年7月に新紙幣が発行され、それぞれの肖像は一万円札が（ ① ）、五千円札が（ ② ）、千円札が（ ③ ）となった。

02 2024年7月、宇宙航空研究開発機構(JAXA)が開発した新型ロケット（ ① ）によって先進レーダ衛星（ ② ）が軌道投入された。

03 2020年から2024年にかけて将棋のタイトルの**最年少記録を更新**しているのは（ ）。

04 2024年1月1日、石川県の（ ① ）を震源とする地震が発生し、観測された最大震度は（ ② ）となった。

05 2023年5月、（ ① ）で国際会議（ ② ）が行われた。

06 少額からの投資を行う人のために2014年に（ ① ）が開始された。その後2018年に（ ② ）が開始され、2024年には新制度での運用が開始された。

07 2023年の出生数は約（ ）万人となり、過去最少。※小数点第一位まで

解答・解説

01 ①渋沢栄一
多くの企業設立などに関わった**「日本近代社会の創造者」**。
②津田梅子
女性の地位向上と**女子教育**に尽力。
③北里柴三郎
「近代日本医学の父」と呼ばれる細菌学者。

02 ①H3ロケット、②だいち4号
2023年3月にH3ロケット1号機による先進光学衛星「だいち3号」の打ち上げが行われたが失敗に終わる。「だいち2号」は能登半島地震において緊急観測を行った。

03 藤井聡太
2023年10月：**史上初の八冠制覇**
2024年7月：永世棋聖（最年少）
2024年8月：永世王位（最年少）

04 ①能登地方、②7
正式名称は**「令和6年能登半島地震」**。マグニチュードは7.6で、内陸で発生する地震では大規模。

05 ①広島、②G7サミット
フランス、米国、英国、ドイツ、日本、イタリア、カナダの7カ国とEUの首脳が参加。

06 ①NISA（少額投資非課税制度）
②つみたてNISA
通常、金融商品における運用利益には約20％の税金がかかるが、NISA口座で投資した場合の運用益は**非課税**（限度額あり）。2024年の新制度では年間投資枠や非課税保有限度額の拡大が行われた。

07 72.7
8年連続の減少となり、2022年の77万759人より**4万人以上減少**。

8 最新時事
日本の男女格差

ポイントはココ！

- ○日本の男女格差は先進国の中でも**低順位**
- ○**ジェンダーギャップ指数**は156か国中118位
- ○特に政治と経済の分野での格差が大きい

日本と世界の男女格差の比較

ジェンダーギャップ指数
男女の平等度を表す指数。「経済・教育・健康・政治」の4分野から算出される

出典：Global Gender Gap Report 2024

順位	国名	スコア	順位	国名	スコア
1	アイスランド	0.935	94	韓国	0.696
2	フィンランド	0.875	106	中国	0.684
3	ノルウェー	0.875	118	日本	0.663

※0が完全不平等、1が完全平等となる。調査対象は156か国

日本の経済と政治

経済

管理的職業従事者の女性の割合は14.6%

項目	日本の順位	日本のスコア
経済（全体）	120	0.568
勤労所得の男女比	98	0.583
幹部・管理職での男女比	130	0.171

女性管理職の比率は世界的に見ても低い。

政治

女性衆議院議員の割合は9.7%で世界最低水準

項目	日本の順位	日本のスコア
政治（全体）	113	0.118
国会議員の男女比	129	0.115
閣僚の男女比	65	0.333

衆議院議員の女性は約１割。

日本は経済・政治分野の指数が特に低い。また、市場調査で「政治」や「慣習・しきたり」で男性が優遇されているという回答が多く、生活の中で格差が大きいと思われるのは「管理職への登用」がトップとなった。

問題

01 **世界経済フォーラム**から毎年発表される男女の平等度を表す指数を（　　）という。

02 ジェンダーギャップ指数は経済・教育・（ ① ）・（ ② ）の**4分野14項目**について表される。

03 世界経済フォーラム2024において、日本の男女平等度は調査対象国156か国の中で（　　）位。

04 日本は特に（ ① ）と（ ② ）の分野で男女の格差が大きい。

05 雇用に関する男女平等を定めた（ ① ）が**1985年**に制定され、看護婦は（ ② ）、スチュワーデスは（ ③ ）に名称変更された。

06 **男女共同参画社会の実現のための基本理念は次の5つである。**

1. 男女の（ ① ）の尊重
2. 社会における制度又は（ ② ）についての配慮
3. 政策等の（ ③ ）及び決定への共同参画
4. （ ④ ）における活動と他の活動の両立
5. （ ⑤ ）協調

解答・解説

01 ジェンダーギャップ指数

0だと完全不平等、1だと完全平等となる。

02 ①健康、②政治

03 118

過去最低を記録した125位からは改善された。調査が開始された2006年は、115か国中80位だった。

04 ①経済、②政治

日本では、女性の平均所得は男性の**約半分**。

05 ①男女雇用機会均等法、②看護師、③客室乗務員

06 ①人権
②慣行
③立案
④家庭生活
⑤国際的

9 最新時事
地球温暖化

ポイントはココ！

- ○温暖化は**人間の影響**によるものであると断定された
- ○**アメリカがパリ協定の離脱**を表明、その後バイデン大統領によって復帰した
- ○産業革命以降、二酸化炭素濃度は**40％増加**

温暖化ガス排出と温暖化防止

地球温暖化のおもな原因

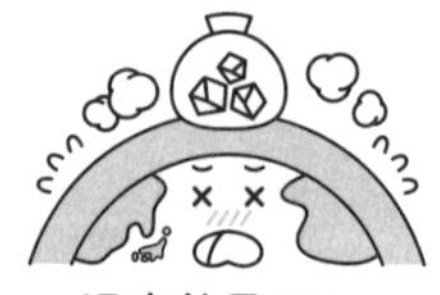

温室効果ガス

温室効果ガスって何？

地表から放射された赤外線の一部を吸収することで温室効果をもたらす気体のこと

【温室効果ガスにあたる気体】

二酸化炭素、水蒸気、メタン、一酸化二窒素、フロンガスなど

世界で何が起きている？

- 2030年代初めごろまでに、1850～1900年と比較して、地表温度が1.5℃以上上昇する可能性
- 世界平均海面水位が0.2m上昇
- 北極域の年平均海氷面積が1850年以降最小規模に。このままでは2050年までに海氷がなくなる可能性があるといわれている

※IPCC（国連気候変動に関する政府間パネル）第6次評価報告（2021年）による

二酸化炭素の最大排出国は？

中国	105.5億トン
アメリカ	48.3億トン
インド	25.9億トン

2022年時点

地球温暖化防止への世界の取り組み

- 1992年に気候変動枠組条約締結
- 1995年より気候変動枠組条約締約国会議が年次会議として行われる
- 1997年、COP3において「京都議定書」で各国の温室効果ガス（6種類）の削減目標を決定
- 2015年、COP21において「パリ協定」採択。今世紀後半に温室効果ガス排出量の実質ゼロを目指す
- 2021年　COP26において「グラスゴー気候合意」採択

京都議定書の第一約束期間は2012年までであり、削減目標は1990年比で5.2%である。日本は6%を達成している。2013～20年まで延長したが、日本は不参加となっている。

問題	解答・解説
01 **温室効果ガス**の中でも、特に地球温暖化に大きく影響しているのは（　　）である。	01 二酸化炭素
02 2023年7月の世界の平均気温が観測史上最高になることを受けて、国連のグテーレス事務総長は地球温暖化のさらなる警鐘として（　　）という表現をした。	02 地球沸騰化
03 **国連環境計画**（UNEP）と**世界気象機関**（WMO）により設立された人為起源による気候変動や緩和方策など、包括的な**評価を行う組織**の略称は（　　）である。	03 IPCC Intergovernmental Panel on Climate Change の略。国連気候変動に関する政府間パネルのこと。
04 温室効果ガスの濃度安定化を目標に、**1992年採択**の（ ① ）に基づいて**1995年から毎年行われる年次会議**の略称は（ ② ）である。	04 ①気候変動枠組条約 ②COP Conference of the Parties の略。国連気候変動枠組条約締約国会議のこと。
05 **1997年に採択**された（ ① ）では先進国全体の温室効果ガス6種の合計排出量を、1990年より（ ② ）％削減を目標とした。	05 ①京都議定書 ②5.2
06 2015年採択の（ ① ）は、産業革命以前の世界平均気温上昇を（ ② ）℃未満に抑え、平均気温上昇（ ③ ）℃度未満を目指す。	06 ①パリ協定、②2、③1.5 パリ協定は**2020年以降**の気候変動問題に関する国際的な枠組み。また、**各国が削減目標の作成・提出、実施状況の報告義務**を負う。
07 温室効果ガスの排出を**全体としてゼロ**にすることを（　　）という。	07 カーボンニュートラル

10 最新時事
日本のエネルギー・資源

ポイントはココ!

○「**ゼロ・エミッション**」は環境や気候に影響を与える廃棄物を出さないための運動

○CO_2 を出さない発電割合を**59%**以上に(2030年度)

○**原子力**はゼロから稼働に方針転換

日本のエネルギー構成と再生可能エネルギー

日本の電力のエネルギー構成

火力 原子力 再生可能エネルギー

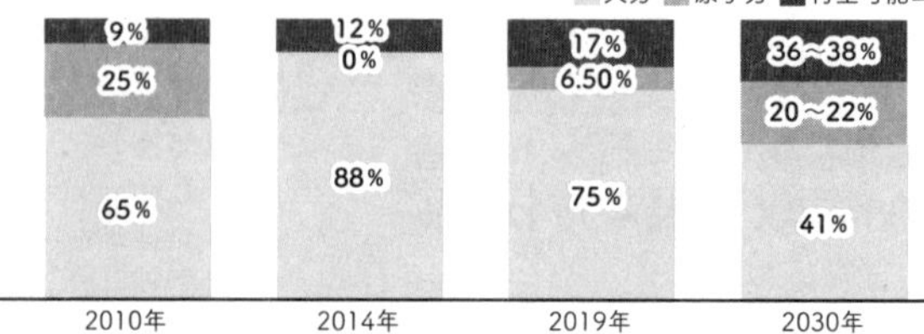

エネルギー基本計画(国の中長期的なエネルギー政策の方針)
- 第4次計画(2014年)では「原発ゼロ」から「原発再稼働」に転換
- 第5次では再生可能エネルギーの積極的推進
- 第6次では「2050年カーボンニュートラル」などの実現に向け、安全性の確保を前提にエネルギー政策の具体策を提示

再生可能エネルギー

太陽光発電、風力発電、バイオマス発電、水力発電、海洋エネルギーなどを指す。

【長所】
- 自然界で起こる現象から生み出されるため、くり返し利用できる
- 二酸化炭素をほとんど排出しない

【短所】
- 初期費用が高い
- 天候に左右されるため発電量が不安定

バッテリーを充電させて、CO_2 を排出しないで走行する電気自動車(EV)や、水素と酸素を反応させて電気を作り走行する燃料電池自動車(FCV)も実用化されている。

問題

01 日本における電力のエネルギー構成で、**最も大きな割合**を占めるのは（　　　）発電である。

02 **自然界で起こる現象**から生み出され、**くり返し利用**できるエネルギーを（　　　）エネルギーという。

03 2024年11月時点で稼働中の原子力発電所を7つ答えよ。

04 地中深くにある**頁岩**(けつがん)**層**に含まれる天然ガスや原油を（　①　）・（　②　）と呼ぶ。

05 サトウキビやトウモロコシなどの**植物から作られるアルコール系**の燃料を（　　　）という。

06 ガスと水が結合し、**地中や海底で氷状になった物質**を（　　　）という。

07 埋蔵量が少ない、または抽出が難しい金属で安定供給が必要な金属を（　①　）といい、その中の**希土類17種**を（　②　）という。

解答・解説

01 火力

02 再生可能

03 女川原発（宮城県）、美浜原発（福井県）、大飯原発（福井県）、高浜原発（福井県）、伊方原発（愛媛県）、玄海原発（佐賀県）、川内原発（鹿児島県）

このほか、島根原発（島根県）は2024年12月の再稼働が決定した。

04 ①シェールガス
②シェールオイル

アメリカが埋蔵量の多くを占める。採掘による地中や地下水の汚染が懸念される。

05 バイオエタノール

06 メタンハイドレート

日本近海の海底にも存在することが期待されている。

07 ①レアメタル、②レアアース

生産量の7割は中国で、ほかの金属などと混ぜ合わせることで性能を向上させる。

11 最新時事 次世代製品・技術

- ○自然環境やエネルギーに配慮したタイプが多い
- ○ChatGPT をはじめとした生成 AI の利用が拡大
- ○さまざまなコンテンツを生成できる生成 AI の登場

生活でのAI・ITの活用

2020 年 11 月より、茨城県境町では自治体が市街地を走らせる事例として日本初となる自動運転バスを導入した。

問題	解答・解説
01 学習済みのデータを活用してオリジナルデータを生成できるAIを（　　）という。	01 生成AI **テキスト生成AIのChatGPT**や**画像生成AIのDALL•E2**などがすでに活用されている。
02 コンピューターで**人間の知能を人工的に再現**した技術を（①）といい、その向上には多くのデータからパターンを読み取る（②）が不可欠となる。	02 ①AI（人工知能） ②ディープラーニング（深層学習）
03 **人手不足**や作業の効率化が急務となる農業へのIT技術の活用を（　　）といい、ドローンの利用や農業機械の自動運転などのサービスが誕生している。	03 アグリテック（スマート農業） **農業**（Agriculture）と**テクノロジー**（Technology）を組み合わせた造語。
04 テキストや画像、音楽などのデジタルコンテンツに（①）の利用が拡大した。これに活用されているデータの分析手法には主に（②）という手法が用いられ、自ら学習を重ねて新しいコンテンツを生み出すことができる。	04 ①生成AI ②ディープラーニング（深層学習） ChatGPT（テキスト生成AI）、Adobe Firefly（画像生成AI）など。生成AIを活用して得られた情報が**必ずしも正しいとは限らない**。また、画像や音声の生成においては**著作権**に関する問題も懸念される。
05 次世代の自動車産業の動向を示すキーワードはC（①）A（②）S（③）E（④）。	05 ①コネクテッド、②自動運転、③シェアリングサービス、④電動化 コネクテッドは、車の状態や道路状況の情報交換。電動化したモーターは走行中にCO_2を排出しない。
06 アメリカの巨大IT企業である4社を（　　）と呼び、自社のプラットフォームで膨大な個人データを収集している。	06 GAFA Google、Apple、Facebook、Amazonの4社。Facebookは2021年にMetaに社名変更を発表。

12 最新時事
暗号資産（仮想通貨）

ポイントは
ココ！

○インターネット上で取引できる**財産的な価値**が付与されたデータ

○相互監視により改ざんを防ぐ**分散型台帳**

○**ブロックチェーン**という暗号化システム

暗号資産の基幹となる技術

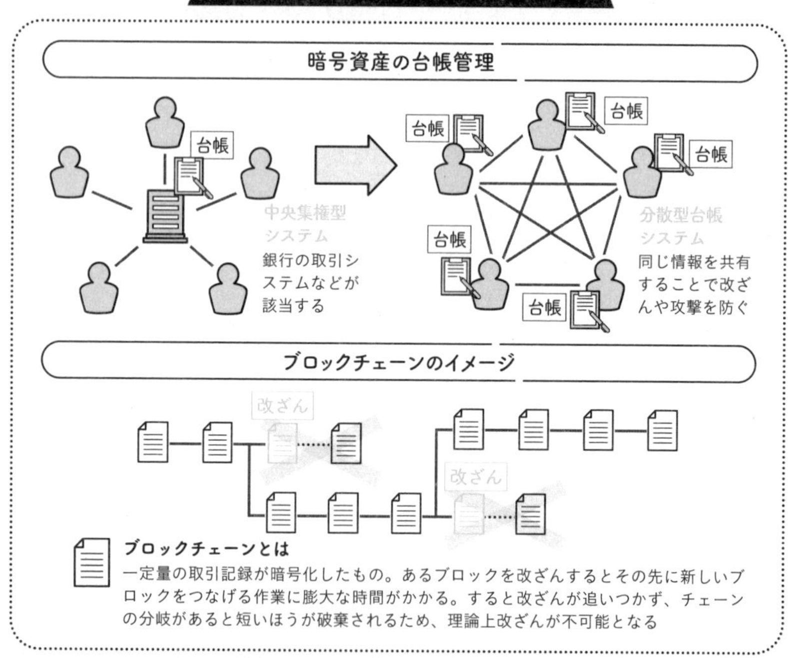

改正資金決済法が施行され、暗号資産が支払い手段として認められた。利用可能な店舗も増えたが、暗号資産が不正に大量流出するなど、セキュリティ上の不安も大きい。

問題

01 **2009年**に運用が開始された暗号資産は（　　　）。

02 暗号資産は**取引記録となる台帳**を利用者全員が共有する（　　　）台帳という方式をとる。

03 ビットコインやイーサリアムなど管理者のいない暗号資産では**データの改ざん**を防ぐために（　　　）という技術を使う。

04 暗号資産は専門の取引所を介して円やドルなどの（　①　）と交換することができる。（　②　）がないので**需要と供給などの要因**によって価格変動することがある。

05 暗号資産は銀行のような中央機関が存在せず、ネットワーク上の個人間で直接取引できる（　　　）方式をとるため手数料が無料か格安となる。

06 暗号資産のブロックチェーン技術を活用して、コピーや改ざんが容易に行えない記録方式を美術品などの著作権や取引、修復の履歴などの情報に利用したものを（　　　）証明書という。

解答・解説

01 ビットコイン
10年後の保有率は**90%**ともいわれている。

02 分散型
利用者がお互いに監視し合うことで、不正や改ざんを難しくしている。

03 ブロックチェーン
ブロックチェーンはフィンテックに活用されており、金融サービスの拡大につながっている。

04 ①法定通貨
②裏付け資産

05 P2P（ピアツーピア）

06 NFT（Non-Fungible Token）
非代替性トークン。紙の証明書などが不要で、デジタルアートなどへの利用が期待される。

13 最新時事 アメリカ大統領選挙

ポイントはココ!

○**任期は4年**で大統領選挙によって選出

○選挙は**間接選挙**であり、有権者は**アメリカ合衆国選挙人団**に投票する

○**全選挙人の過半数**を獲得することで当選

2024年の大統領選挙

アメリカ大統領候補者

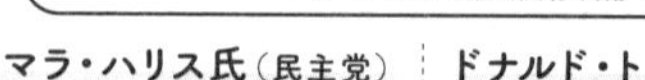

カマラ・ハリス氏（民主党）

・1964年10月20日生
・第49代アメリカ合衆国副大統領（2021年1月〜）
・女性・アフリカ系・南アジア系アメリカ人としては初の副大統領

ドナルド・トランプ氏（共和党）

・1946年6月14日生
・第45代アメリカ合衆国大統領（2017年1月〜2021年1月）
・2024年5月にアメリカ合衆国大統領経験者として初の有罪評決を受ける

アメリカ大統領選のスケジュール

2024年1月15日	・**アイオワ州党員集会**　予備選挙・党員集会の開始
2024年3月5日	・**多くの州で予備選挙・党員集会が行われる**「スーパーチューズデー」
2024年6月27日	・**大統領候補者（ドナルド・トランプ氏とジョー・バイデン氏）による第1回テレビ討論会**
2024年7月15~18日	・共和党**全国大会**　ドナルド・トランプ氏が候補者指名を受ける
2024年7月21日	・**ジョー・バイデン氏が選挙戦撤退を表明**　副大統領のカマラ・ハリス氏が出馬表明
2024年8月19日~22日	・民主党**全国大会**　カマラ・ハリス氏が候補者指名を受ける
2024年9月10日	・**各党候補者による第2回テレビ討論会**
2024年11月5日	・**有権者による一般投票及び開票**
2024年12月16日	・**各州の選挙人による投票**　投票結果によって各州に割り振られた選挙人の獲得数に応じて大統領が決定する。選挙人は全米で538人おり、その過半数の獲得が必要
2025年1月6日	・**大統領及び副大統領当選者が正式決定**
2025年1月20日	・**大統領・副大統領就任式**

選挙人の数は州ごとに人口比などで配分されており、最も選挙人が多いのはカリフォルニア州の54人で、テキサス州が40人、フロリダ州が30人と続く。

問題

01 米国の大統領の任期は（ ① ）年で、2024年は（ ② ）党の**ドナルド・トランプ氏**と（ ③ ）党の**カマラ・ハリス氏**の戦いとなった。

02 連邦議会は二院制であり、**各州から2人の議員**が（ ① ）年の任期で選ばれる（ ② ）と、（ ③ ）年の任期で選出される（ ④ ）からなる。

03 （ ① ）や（ ② ）を経て代議員を選出し、その獲得数によって大統領指名候補が決定する。

04 大統領選挙は州ごとの連邦議会議員の合計議席と同数の（　　）が与えられ、**11月第1月曜日の翌日の火曜日**にすべての州と首都のワシントンD.C.で投票が行われる。大多数は最大得票の選挙人に全議席が配分される。

05 予備選挙・党員集会が集中する**2月～3月上旬の第2火曜日**を（　　）という。

06 候補者が選挙人の過半数を獲得できなかった場合、大統領は連邦議会の（ ① ）、副大統領は（ ② ）で選出される。

07 2024年11月の一般投票で（ ① ）党候補の（ ② ）氏が選挙人の過半数である（ ③ ）人以上を獲得し、次期大統領を当選確実とした。

解答・解説

01 ①4、②共和、③民主
2度を超えて選出されることは認められていないため、最長で2期8年となる。

02 ①6、②上院、③2、④下院
上院の定数は100人で、下院は435人。

03 ①予備選挙、②党員集会

04 選挙人
すべての州で535人、ワシントンD.C.で3人の合計538人。

05 スーパーチューズデー

06 ①下院、②上院

07 ①共和、②ドナルド・トランプ
③270
再選を逃して再び大統領となるのは史上**2**人目。

14 最新時事
アジア民主化デモ

- ○タイ、ミャンマーは**民主派**が軍事政権に反発
- ○台湾、香港、新疆（しんきょう）ウイグル自治区は**中国**に反発
- ○2020年、**香港国家安全維持法**が施行され民主派への弾圧が強まる

アジア各地で起こる民主化デモ

ミャンマーの少数派イスラム民族であるロヒンギャはミャンマー国籍を持てず迫害を受けているとされるが、ミャンマー政府はバングラデシュからの不法移民であるとの主張を続ける。

問題	解答・解説
01 ミャンマーの軍部によるクーデターでは**国民民主連盟党首**の（ ① ）や（ ② ）大統領が拘束された。軍事クーデターに対抗して（ ③ ）が発足している。	**01** ①アウンサンスーチー ②ウィン・ミン ③国民統一政府
02 2024年1月に行われた台湾総統選挙では、中国との関係改善を目指す（ ① ）党の候補を破り台湾独立を目標とする（ ② ）党の（ ③ ）が当選した。	**02** ①国民 ②民進（民主進歩） ③頼清徳（らいせいとく） 頼清徳氏は、前総統の蔡英文政権路線を踏襲し、台湾と中国は互いに隷属しないとする『4つの堅持』に基づき、現状維持に取り組むとしている。
03 新疆ウイグル自治区が生産する（ ）の取り扱いを止めると発表した企業の製品に対して、中国で不買運動が起こり、企業活動にも影響が出ている。	**03** 綿（新疆綿） 中国で生産される綿花の多くが新疆綿で、中国産の衣服の多くに新疆綿が使われている。
04 2014年に台中間における**サービス分野の市場開放**を目標とする（ ① ）が協議されたとき、これに反対する（ ② ）が起きた。	**04** ①海峡両岸サービス貿易協定 ②ひまわり運動 ひまわり運動が原因で台中間にはサービス協定は発行されていないが、**中国とマカオ・香港の間にはサービス貿易協定**が発行されている。
05 2024年に実施されたインドの下院総選挙では、（ ① ）が第一党にとどまり、（ ② ）首相が3期連続就任となった。	**05** ①インド人民党 ②ナレンドラ・モディ インドの外交姿勢は、特定国との同盟関係ではなく、主要国との全方位外交を展開する「戦略的自律性」を重視している。

15 最新時事 中東情勢

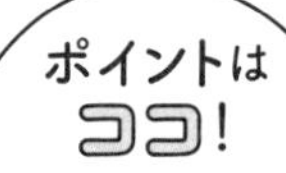

- パレスチナ問題は**ユダヤ人とアラブ人**の対立
- シリア内戦はIS崩壊後の、**ロシアとイランが支援の政府軍と、米国が支援の反政府軍**の対立
- クルド人は国家を持たない**世界最大の民族**

近年の中東情勢

シリア内戦

・アラブの春以降、アサド政権、反体制組織、IS（イスラム国）の3つの勢力が対立
・ロシアとイランはアサド政権を、アメリカは反体制組織を支援
・2019年、アメリカとシリア民主軍がISの完全掃討を宣言

イスラエル・パレスチナ問題

・1947年、パレスチナをアラブ国家、ユダヤ国家、国連管理下に3分割する案を国連が提案。アラブ側は拒否した
・以降、アメリカが支援するイスラエル（ユダヤ国家）とアラブ諸国が支援するパレスチナ（アラブ国家）間で4度の中東戦争が起こる
・2020年、イスラエルはアラブ諸国と国交正常化合意を発表
・2023年11月、イスラエル軍とイスラム組織「ハマス」が大規模な軍事衝突

イランvsアメリカ

・1979年のイラン革命で独裁政権が倒される
・当時アメリカは独裁政権を支援していたため、反米意識が高まる
・2015年イラン核合意の締結からアメリカが脱退し、経済制裁を再発動
・2019年以降、イランは核合意の義務規定を段階的に停止

サウジアラビア石油施設攻撃

・重要石油施設がドローンやミサイルで攻撃を受ける
・イエメンのフーシ派が攻撃したと表明。アメリカはイランが関与と主張。イランは一切の関与を否定
・イエメンの内戦に対してはサウジアラビアが軍事介入を行っている

イエメンの裁判所は、2018年の空爆の罪で、サウジアラビアのサルマン国王、ムハンマド皇太子、米国のトランプ大統領（当時）らに有罪判決を出した。

問題	解答・解説
01 アメリカが**テロ支援国家**として指定しているのは北朝鮮とキューバ以外に、中東の（ ① ）と（ ② ）である。	**01** ①シリア、②イラン スーダンはイスラエルとの**国交正常化**を条件に指定を解除した。2022年9月上院議員がロシアをテロ支援国家に指定する法案を提出。
02 イスラエルが**首都として主張している**のは（ ① ）であるが、国際的に首都と認められているのは（ ② ）である。	**02** ①エルサレム ②テルアビブ 2018年にアメリカが大使館をエルサレムに移転し、批判を浴びている。
03 イランにおける**国軍とは別**の軍事組織で、2019年**アメリカでテロ組織指定**されたのは（ ）。	**03** イスラム革命防衛隊 イランは対抗して**アメリカ中央軍をテロ指定**した。
04 中東のパレスチナにある、地中海に面した細長いエリアの（ ① ）地区と（ ② ）川西岸エリアは（ ③ ）と呼ばれ、たびたびイスラエルとの紛争が起こっている。	**04** ①ガザ、②ヨルダン ③パレスチナ自治区 イスラム組織「ハマス」の支配下にあるガザ地区はイスラエル軍との戦闘が続き、民衆への被害も大きい。
05 シリア内戦では、**イスラム教の二大宗派**である（ ① ）派の（ ② ）政権と、（ ③ ）派の反体制組織の対立が続く。	**05** ①シーア ②アサド ③スンニ
06 イスラエル建国により追放された**パレスチナ難民の救済**を目的として、1949年に設立された**国連の補助機関**を（ ）という。	**06** 国連パレスチナ難民救済事業機関（UNRWA） 予算のほとんどを支援国が拠出するが、2018年に**アメリカが拠出を停止**した。2021年に再開。

最新時事

16 北方領土問題

- 歯舞群島(はぼまいぐんとう)、色丹島(しこたんとう)、国後島(くなしりとう)、択捉島(えとろふとう)を指す
- 終戦直後に占領され、**現在まで実効支配**
- ロシア側は平和条約締結後の**二島譲渡**という案以外を認めていない

北方領土の位置と経緯

1945年
ソ連が日ソ中立条約を破棄し、日本に宣戦布告。終戦後、北方領土が占領され実効支配が続く

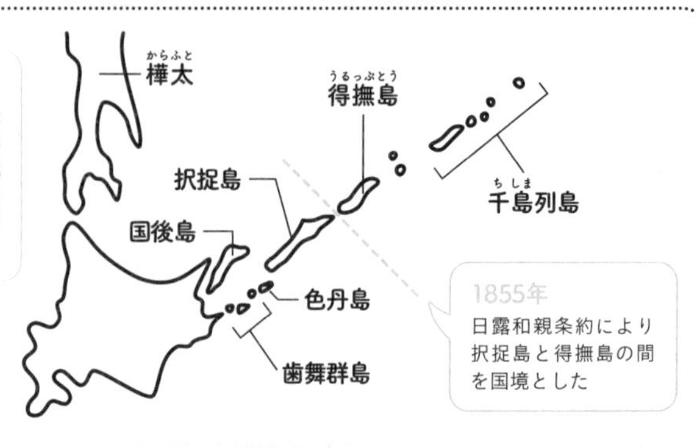

1855年
日露和親条約により択捉島と得撫島の間を国境とした

実効支配以降の経緯

1956年	日ソ共同宣言で日ソ間の外交関係が回復
1981年	2月7日を北方領土の日と制定
1991年	ソビエト連邦解体。領土問題はロシア連邦が引き継ぐ
2016年	プーチン大統領来日。北方四島での共同経済活動の交渉開始合意
2018年	シンガポールで日露首脳会談。日ソ共同宣言を基礎にした平和条約締結交渉を加速させることで一致
2020年	ロシアで領土割譲を禁じる憲法改正案が成立

領土割譲禁止の憲法改正案が成立し、国後島には、北方領土をロシア領とした地図を描いた記念碑が設置された。

問題

01 北方領土の中で**一番面積が大きい島**は（　　）島である。

02 1855 年、（ ① ）条約によって（ ② ）島と（ ③ ）島の間に**国境線**が設定された。

03 1875 年、日本とロシアは（ ① ）条約を結び、（ ② ）島より北の（ ③ ）群島を日本領とした。

04 1905 年の（ ① ）条約では、（ ② ）が日本に割譲された。

05 1945 年の終戦後、**ソ連に南樺太を返還し、千島列島を引き渡すべき**という（　　）協定が結ばれた。

06 日露平和条約は、**全面返還を求める日本**と条約締結後の（　　）を考えるロシアとの間で平行線をたどる。

07 2018 年に（ ① ）で行われた日露首脳会談では（ ② ）条約締結**交渉を加速**させることで一致。

08 2020 年にロシアで（　　）を禁じる憲法改正案が成立した。

解答・解説

01 択捉

大きい順に、択捉島＞国後島＞色丹島＞歯舞群島となる。

02 ①日露和親、②択捉、③得撫

03 ①樺太・千島交換、②得撫、③クリル

日露の共同統治で両国民の紛争の絶えなかった樺太は**ロシア領**となった。

04 ①ポーツマス、②南樺太

05 ヤルタ

アメリカ、イギリス、ソ連の 3 か国で、戦勝国の権益分割について話し合われた。

06 二島譲渡

第二次大戦後、ソ連の占領下にあった歯舞群島と色丹島の 2 島を日露両国間の友好関係に基づいて譲渡するとした。

07 ①シンガポール
②日露平和

08 領土割譲

17 最新時事
竹島・尖閣諸島問題

ポイントは ココ!

○竹島は中立国においては**リアンクール島**と呼ばれる

○竹島は**日本と韓国と北朝鮮**が領有権を主張

○尖閣(せんかく)諸島は**日本と中国と台湾**が領有権を主張

竹島と尖閣諸島の位置と経緯

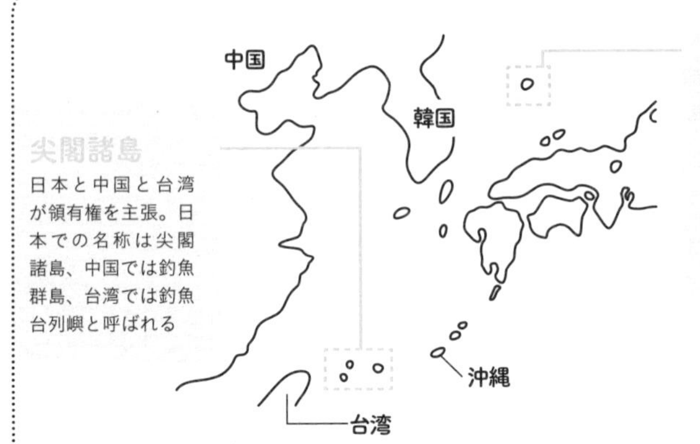

竹島

日本、韓国、北朝鮮が領有権を主張している。日本での名称は竹島、韓国・北朝鮮での名称は独島(どくと)。2つの島と周辺の37の岩礁を指す

【尖閣諸島の経緯】

1895年	日本政府が尖閣諸島を沖縄県に編入
1969年	周辺海域で大量の石油資源の埋蔵の可能性が確認
1971年	台湾・中国が相次いで領有権を主張
1972年	沖縄返還の一環として米国より日本へ返還
2013年	中国国防省が東シナ海に防空識別圏を設定

【竹島の経緯】

1905年	日本政府が竹島を島根県に編入
1952年	韓国政府が李承晩ラインを設定し領有権を主張
1965年	日韓基本条約調印。李承晩ライン廃止
2005年	島根県議会が2月22日を竹島の日と制定。慶尚北道議会が10月を独島の月と制定
2012年	李明博大統領が現職大統領初の上陸

尖閣諸島における防空識別圏の一方的な設定に抗議する意味で、日本は2013年11月には自衛隊機を、米国は空軍機を中国への事前通告なしに防空識別圏へ飛行させた。

問題	解答・解説
01 竹島は（ ① ）県の一部で、（ ② ）・（ ③ ）と呼ばれる**2つの島**と、周辺（ ④ ）の岩礁を指す。	**01** ①島根、②女島（東島）、③男島（西島）、④37
02 竹島は**韓国・北朝鮮**では（　　）と呼ばれる。	**02** 独島（どくと）
03 **1952年**に韓国が竹島の領有権を主張する**海洋に引いた境界線**を（　　）という。	**03** 李承晩（りしょうばん）ライン
04 **島根県条例**で制定された竹島の日は（ ① ）、また**慶尚北道**が制定した独島の月は（ ② ）である。	**04** ①2月22日、②10月 島根県と慶尚北道は姉妹都市であったが、島根県が**竹島の日**を制定したことによって停止。
05 **現職の韓国大統領**として初めて竹島に上陸したのは（　　）大統領。	**05** 李明博（イミョンバク）
06 尖閣諸島は（ ① ）県に属し、中国では（ ② ）群島と呼ばれる。	**06** ①沖縄、②釣魚 2004年には台湾が釣魚台列嶼を土地登記した。
07 1968年から1970年にかけて尖閣諸島近海で大量の（　　）資源の埋蔵の可能性が確認される。	**07** 石油
08 **2013年**、中国は尖閣諸島上空を含む空域に（ ① ）を設定し、日本はこれに抗議し、（ ② ）も批判的な立場をとっている。	**08** ①防空識別圏、②米国

18 最新時事 北朝鮮情勢

ポイントはココ!

- ○南北首脳会議で**朝鮮半島の非核化**が目標に
- ○2018年6月、**史上初の米朝首脳会談開催**
- ○非核化への具体的な取り組みは進まず、国連安保理による**経済制裁**が続いている

北朝鮮と国際社会

最高指導者 金正恩（キムジョンウン）

北朝鮮ってどんな国?

【正式名称】: 朝鮮民主主義人民共和国 **【首都】**: 平壌（ピョンヤン）

【政治体制】: 社会主義体制。最高指導者は3世代世襲で、金日成（キムイルソン）、金正日（キムジョンイル）と続き、現在は金正恩

国際社会における北朝鮮の動き

2017年

●2010年代に入って軍事行動が顕著になる

4月	アメリカが朝鮮半島沖で韓国と軍事演習
9月	国連安全保障理事会でトランプ大統領（当時）が提案した対北朝鮮制裁強化決議採択
12月	北朝鮮への制裁をさらに強化する決議が採択

北朝鮮は対決姿勢

2018年

●金正恩委員長が一転して南北関係の融和を強調

2月	平昌（ピョンチャン）オリンピックに妹の金与正（キムヨジョン）氏を派遣
4月	板門店で10年半ぶりの南北首脳会談が行われた

⇒共同宣言

- ・非核化を南北の共同目標とし、積極的に努力をする
- ・朝鮮戦争の終戦を宣言して休戦協定を平和協定に転換するために、南北と米中の4者会談の開催を推進
- ・軍事境界線一帯で宣伝放送とビラの散布などの敵対行為をすべて中止
- ・朝鮮戦争で南北に分かれた離散家族の再会に向けて赤十字の会談を行う

2017年8・9月に採択された経済制裁案は中国・ロシアの賛成も得て、全会一致で可決。ところが2022年5月の制裁強化では、中国・ロシアが拒否したことで否決された。

問題	解答・解説
01 北朝鮮の正式名称は（ ① ）で、首都は（ ② ）。現在の**最高指導者**は（ ③ ）である。	**01** ①朝鮮民主主義人民共和国 ②平壌 ③金正恩
02 北朝鮮と韓国の**境界線**は、北緯（ ）度付近である。	**02** 38
03 2018年の平昌オリンピックでは、**金委員長の妹**である（ ）氏が派遣された。	**03** 金与正 この年、北朝鮮の対外姿勢は融和ムードだった。
04 2018年4月には**板門店**において**10年半ぶり**の（ ① ）が金委員長と韓国の（ ② ）前大統領の間で行われた。	**04** ①南北首脳会談 ②文在寅（ムンジェイン）
05 2018年6月、**史上初の米朝首脳会談**が行われたのは（ ）島。	**05** セントーサ シンガポールにある。朝鮮半島の**非核化に向けた努力**などについて話し合った。
06 第2回の米朝首脳会談は（ ）の首都ハノイで行われた。	**06** ベトナム 北朝鮮側は**経済制裁の解除**を求めた。非核化などの大きな進展は見られなかった。
07 3回目の米朝首脳の顔合わせは**板門店**で行われ、非核化協議の再開などの話し合いを**韓国側の施設**（ ）で行った。	**07** 自由の家 **トランプ大統領**（当時）は、今後の交渉次第で経済制裁を見直す可能性があることを明言した。
08 2020年10月、朝鮮労働党創建75周年を祝う軍事パレードでは新型の大陸間弾道ミサイル（ ）が公開された。	**08** ICBM intercontinental ballistic missileの略。

19 最新時事

イギリスのEU離脱

○**移民問題や貿易での不満**が反EU感情に

○数回の延長期間を経て**2020年1月末**に離脱

○2020年12月31日までは移行期間として**EU法**が適用された

イギリスがEUを離脱するまでの流れ

【目的】:ヨーロッパ全体を、経済・社会システム・法律・政治などの多方面から1つにまとめること

【加盟国】:27か国(主要国はドイツ、フランス) **【発足】**:1993年

【EU間で可能なこと】:①統一通貨ユーロの使用、②入国審査なしでの国家間の移動(シェンゲン協定)、③モノ・サービス・資本の自由移動

EU離脱の理由

①移民問題

労働移民が100万人から300万人に増加したことで、移民に仕事を奪われることを危惧したイギリスの労働者・低所得者層を中心に反EU感情が高まる

②貿易問題

EUとしてではなく、イギリスとして直接交渉することで貿易の効率化と利益の向上を図る

③支出削減

EUへ拠出する公費を減らすことで、国内への公的サービスを増やすことができる

④テロからの保護

国境の存在がイギリスをテロから守ることになる

2016年6月	国民投票でEU離脱が決定
2017年3月	離脱をEUに正式表明
2019年10月	離脱期限を2020年1月まで延長
2020年1月	離脱協定実施法案成立、31日にEUから離脱

【今後の課題】:北アイルランド(英国)とアイルランド(EU)の国境管理、英国と世界各国の貿易協定など

2019年に日本とEUの間で経済連携協定が結ばれていたが、英国のEU離脱にともない、新たに英国と2020年10月に日英包括的経済連携協定が締結された。

問題	解答・解説
01 EUは（ ① ）年に発足。現在の加盟国は（ ② ）か国で、合意した国家間は**統一通貨**（ ③ ）を用いる。また人やモノの移動を自由化する（ ④ ）協定が結ばれている。	01 ①1993、②27、③ユーロ、④シェンゲン EUはEuropean Unionの略で、**欧州連合**のこと。
02 **イギリスと退出**という言葉を組み合わせた、イギリスのEU離脱を表す言葉は（ ）。	02 ブレグジット **Brexit**。Britainとexitからなる。
03 2016年6月の（ ① ）の結果、EU離脱が選択され、**2017年3月**に当時の（ ② ）首相がEUに離脱を正式表明。	03 ①国民投票 ②テリーザ・メイ 投票の結果、**離脱派は51.9%**となった。
04 当初、EUと英国の間で得られた暫定合意では脱退はしても（ ）にはとどまるという案だった。	04 関税同盟
05 （ ① ）首相（当時）は就任時に、離脱協定が2019年10月までにまとまらなかった場合、（ ② ）なき離脱を辞さないと明言した。	05 ①ボリス・ジョンソン ②合意 期限直前にEUが2020年1月までの期限延長を発表した。
06 2019年5月、（ ① ）年に一度の（ ② ）が行われたが、**親EU派**が3分の2の議席を獲得した。	06 ①5、②欧州議会選挙 中道右派・左派の2大勢力が初めて過半数を割る。
07 **2020年10月**、英国のEU離脱にともない、日英は（ ）に署名した。	07 日英包括的経済連携協定 英国としてEU離脱後初の、主要国との**通商協定**である。

20 最新時事 人種差別問題

ポイントは ココ!

- アメリカで黒人に市民権が与えられたのは**「公民権法」(1964)**、**「投票権法」(1965)**の成立以降
- 外見的差異による区分「人種」、言語や宗教など文化を共有する集団「民族」の違いによって差別が生じている
- 人種差別によって、経済的・政治的・文化的・社会的な権利の差異が起こる

世界の人種差別

ナチスドイツ:ホロコースト
第二次世界大戦下のナチスドイツが行ったユダヤ人の大量虐殺

アメリカ:黒人やアジア系住民に対する差別
1800年代の、アフリカ系住民(黒人奴隷)に対する差別。黒人に対する差別は現代まで続き、BLM運動も起こっている。近年では、2001年の同時多発テロ以降にアラブ系住民、新型コロナウイルス感染症の世界的拡大でアジア系住民への差別が起こった

南アフリカ共和国:アパルトヘイト
1994年まで行われた人種隔離政策。非白人の市民権を厳しく制限

日本:部落差別や外国人居住者に対する差別
明治以前の身分制度の中で、下に位置する人が一定の地域に居住することを強いられており、その地域の出身者に対する差別(同和問題)。近年では外国人であることを理由に居住や就職を拒否する差別が生じている

問題	解答・解説
01 （ ① ）で行われていた合法的に黒人を差別できる政策を（ ② ）という。	01 ①南アフリカ共和国 ②アパルトヘイト 公共施設は白人用とそれ以外の人種用に区別された。1980年代には国際社会から経済制裁を受ける。
02 1930～40年代にナチスドイツ政権を中心に行われた、（ ① ）に対する組織的な迫害や虐殺を（ ② ）という。	02 ①ユダヤ人 ②ホロコースト ホロコーストで犠牲になったユダヤ人は約600万人とされる。
03 北海道を中心とした地域の先住民であった（　　）民族に対する侵害が行われ、明治時代以降の同化政策により独自の生活様式や文化が失われた。	03 アイヌ
04 近年の日本では（　　）の受け入れが加速する一方で、それを理由にしたパワハラや長時間労働・違法な賃金・居住や就職の拒否といった問題が起きている。	04 外国人労働者
05 2012年のアメリカで起きた事件をきっかけに、黒人に対する暴力や人種差別の撤廃を訴える（　　）が始まった。	05 BLM運動（Black Lives Matter） 2012年2月に黒人の少年が自警団の男性に射殺された事件をきっかけとして、SNS上に #BlackLivesMatter というハッシュタグが拡散された。
06 アメリカの最初の人種差別は（ ① ）に対するものといわれ、近年では2001年の同時多発テロをきっかけとした（ ② ）系住民に対するもの、2020年の新型コロナウイルス感染症の流行による（ ③ ）系住民に対するものなどがある。	06 ①ネイティブ・アメリカン（インディアン） ②アラブ、③アジア

keyword

日本の歴代首相

首相	期間	出来事
吉田茂	1946 ～ 1947 年 1948 ～ 1954 年	▶日本国憲法の公布 ▶サンフランシスコ平和条約調印
片山哲	1947 ～ 1948 年	▶日本国憲法下での初の首相指名・組閣
鳩山一郎	1954 ～ 1956 年	▶国際連合への加盟
岸信介	1957 ～ 1960 年	▶新日米安保条約の締結
池田勇人	1960 ～ 1964 年	▶東京オリンピック開催
佐藤栄作	1964 ～ 1972 年	▶日韓基本条約の調印
田中角栄	1972 ～ 1974 年	▶日中共同声明に調印 ▶ロッキード事件により逮捕
大平正芳	1978 ～ 1980 年	▶中国の近代化に積極的に協力
鈴木善幸	1980 ～ 1982 年	▶国家公務員の 60 歳定年制導入 ▶現職首相初の北方領土・沖縄視察
中曽根康弘	1982 ～ 1987 年	▶都市開発促進の規制緩和 ▶国鉄分割民営化（JR旅客 6 社・貨物 1 社）

首相	期間	出来事
竹下登	1987 ～ 1989 年	▶ふるさと創生 1 億円 ▶消費税導入
海部俊樹	1989 ～ 1991 年	▶湾岸戦争の戦費拠出・自衛隊初の海外派遣
宮澤喜一	1991 ～ 1993 年	▶PKO 協力法成立
橋本龍太郎	1996 ～ 1998 年	▶消費税増税・緊縮財政 ▶健康保険の自己負担率引き上げ
森喜朗	2000 ～ 2001 年	▶九州・沖縄サミット開催 ▶少年法改正
小泉純一郎	2001 ～ 2006 年	▶郵政民営化・道路公団民営化 ▶独立行政法人化・医療制度改革
安倍晋三	2006 ～ 2007 年 2012 ～ 2020 年	▶経済対策：アベノミクス ▶東京オリンピック招致 ▶首相連続在職日数が最長
麻生太郎	2008 ～ 2009 年	▶経済対策：定額給付金・住宅ローン減税
菅直人	2010 ～ 2011 年	▶東日本大震災・福島原発事故の災害対策
菅義偉	2020 ～ 2021 年	▶新型コロナウイルスのワクチン接種の推進
岸田文雄	2021 ～ 2024 年	▶少子高齢化・人口減少への対策などの政策 ▶自民党総裁選不出馬に伴い退任
石破茂	2024 年 10 月～	▶自民党総裁就任とともに総理大臣就任 ▶外交・安全保障に精通する

keyword
時事英語

用語	意味
abduction issue	拉致問題
abnormal weather	異常気象
acid rain	酸性雨
active immunity	能動免疫
adjacent waters	周辺水域・近海
aging society	高齢化社会
air pollution	大気汚染
alternative energy	代替エネルギー
annual salary	年俸
antiseptic solution	消毒液
average stock price	平均株価
communist government	共産主義政権
compliance	法令遵守
constitutional revision	憲法改正
contagion	接触感染
cyberattack	サイバー攻撃
declaration of a state of emergency	緊急事態宣言
droplet transmission	飛沫感染
economic partnership	経済連携
entry restrictions	入国制限
environmental disruption	環境破壊
fertility treatment	不妊治療

用語	意味
fiscal deficit	財政赤字
global warming	地球温暖化
immigrant inflows	移民流入
isolation	隔離
lockdown	都市封鎖、外出制限
medical worker	医療従事者
non-essential and non-urgent outings	不要不急の外出
personal bankruptcy	自己破産
personal seal	印鑑、判子
presidential election	大統領選挙
racism	人種差別
radioactive waste	放射性廃棄物
referendum	国民投票
refugee	難民
regional disparity	地域格差
renewable energy	再生可能エネルギー
stockholder	株主
superspreader	多くの人に感染させた患者
territorial dispute	領土問題
testing accuracy	検査精度
regenerative medicine	再生医療
trade friction	貿易摩擦
unemployment rate	失業率
voluntary restraint	自粛
welfare	生活保護
world heritage	世界遺産

keyword

環境用語

用語	解説
ESG 投資	企業活動における環境（Environment）、社会（Social）、企業統治（Governance）を重視する投資手法
FIT 電気（再生可能エネルギー電気）	Feed-in Tariff の略。太陽光、風力、水力、地熱、バイオマスの再生可能エネルギー電源を用いて発電され、電気事業者に買い取られた電気
HEMS	Home Energy Management System の略。情報技術を利用して一般住宅のエネルギーを管理するシステム
PRTR 法	Pollutant Release and Transfer Register の略。化学物質排出移動量届出制度。特定化学物質の環境への排出量の把握等及び管理の改善の促進に関する法律
RPS 法	Renewables Portfolio Standard の略。再生可能エネルギー利用割合基準制度。電気事業者による新エネルギー等の利用に関する特別措置法
SBT	Science Based Targets の略。温室効果ガス削減目標の指標の１つ
SDGs	Sustainable Development Goals の略。持続可能な開発目標
家電リサイクル法	テレビ、洗濯機、エアコン、冷蔵庫の４家電のリサイクルを行うしくみ
カーボンニュートラル	温室効果ガスの排出を全体としてゼロにすること。日本政府は 2050 年までのカーボンニュートラルを目標にしている

用語	解説
気候変動枠組条約	▶温室効果ガスの排出規制などを定めた地球温暖化防止条約
新電力	▶一般電気事業者が有する電線路を通じて電力供給を行う特定規模電気事業者
スマートグリッド（次世代送電網）	▶電力の流れを供給と需要の双方から制御し、最適化できる送電網
生物多様性条約	▶生物多様性の保全や、構成要素の持続可能な利用を目的とする
燃料電池	▶水素（燃料）と酸素（酸化剤）の化学反応により、電気と熱を発生させる電池
バーゼル条約	▶有害廃棄物の国境を越える移動や処分の規制に関する条約
バイオ燃料	▶生物体（バイオマス）の持つエネルギーを利用したアルコール燃料や合成ガスのこと
バイオプラスチック	▶植物や微生物などバイオマスを利用して作るプラスチック
非接触充電（ワイヤレス電力伝送）	▶ケーブル接続や電極などと接触することなく、無線技術により電力を伝送し、充電する技術
メガソーラー	▶自治体、民間企業の主導により、遊休地・堤防・埋立地・建物屋根などに設置されている1MW以上の出力を持つ太陽光発電システム
四大公害病	▶イタイイタイ病（富山県）▶水俣病（熊本県） ▶四日市ぜんそく（三重県）▶新潟水俣病（新潟県）
ラムサール条約	▶水鳥の生息地となる、国際的に重要な湿地に関する条約
レアメタル・レアアース	▶レアメタルは産業に利用されるケースが多い希少な非鉄金属。そのうち、希土類をレアアースという
ロードプライシング制度	▶大都市の交通量を抑制し、渋滞や自動車公害を緩和する経済的手法
ワシントン条約	▶絶滅の恐れのある野生動植物の種の国際取引に関する条約

keyword

日本のノーベル賞受賞者

受賞年	受賞者	賞名	業績
1949年	湯川秀樹	物理学賞	「中間子」の存在を予言
1968年	川端康成	文学賞	『伊豆の踊子』『雪国』『古都』
1973年	江崎玲於奈	物理学賞	トンネルダイオードを開発
1974年	佐藤栄作	平和賞	日韓国交正常化、沖縄返還
1987年	利根川進	生理学・医学賞	多様な抗体を生成する遺伝的原理を解明
1994年	大江健三郎	文学賞	現実と神話の入り混じる世界を創造
2000年	白川英樹	化学賞	導電性高分子の発見と発展
2001年	野依良治	化学賞	「キラル触媒」による不斉反応の研究
2002年	小柴昌俊	物理学賞	ニュートリノの観測
	田中耕一	化学賞	生体高分子の同定・構造解析の手法開発
2008年	南部陽一郎	物理学賞	「自発的対称性の破れ」の発見
	小林誠	物理学賞	「CP対称性の破れの起源」の発見
	益川敏英	物理学賞	「CP対称性の破れの起源」の発見
	下村脩	化学賞	「緑色蛍光タンパク質」の発見
2010年	根岸英一	化学賞	パラジウム触媒を用いた「クロスカップリング」
	鈴木章	化学賞	パラジウム触媒を用いた「クロスカップリング」

受賞年	受賞者	賞名	業績
2012年	山中伸弥	生理学・医学賞	「iPS細胞」の作成
	赤崎勇	物理学賞	青色発光ダイオード（LED）の開発
2014年	天野浩	物理学賞	青色発光ダイオード（LED）の開発
	中村修二（米国籍）	物理学賞	青色発光ダイオード（LED）の開発
2015年	梶田隆章	物理学賞	「ニュートリノ振動」の発見
	大村智	生理学・医学賞	線虫の寄生による感染症に対する治療法
2016年	大隅良典	生理学・医学賞	「オートファジー」の分子レベルでの解明
2017年	カズオ・イシグロ（英国籍）	文学賞	『日の名残り』（The Remains of the Day）
2018年	本庶佑	生理学・医学賞	免疫チェックポイント阻害因子の発見とがん治療への応用
2019年	吉野彰	化学賞	リチウムイオン電池の開発
2021年	眞鍋淑郎	物理学賞	地球温暖化を予測する地球気候モデルの開発
2024年	日本原水爆被害者団体協議会	平和賞	被爆者の立場から核兵器の廃絶を訴える草の根運動

keyword

日本の世界遺産

自然遺産

登録年	登録名	所在地
1993 年	白神山地	青森県、秋田県
	屋久島	鹿児島県
2005 年	知床	北海道
2011 年	小笠原諸島	東京都
2021 年	奄美大島、徳之島、沖縄島北部および西表島	鹿児島県、沖縄県

文化遺産

登録年	登録名	所在地
1993 年	法隆寺地域の仏教建造物	奈良県
	姫路城	兵庫県
1994 年	古都京都の文化財	京都府、滋賀県
1995 年	白川郷・五箇山の合掌造り集落	岐阜県、富山県
1996 年	原爆ドーム	広島県
	厳島神社	広島県

1998 年	古都奈良の文化財	奈良県
1999 年	日光の社寺	栃木県
2000 年	琉球王国のグスクおよび関連遺産群	沖縄県
2004 年	紀伊山地の霊場と参詣道	三重県、奈良県、和歌山県
2011 年	平泉―仏国土（浄土）を表す建築・庭園および考古学的遺跡群	岩手県
2013 年	富士山―信仰の対象と芸術の源泉―	山梨県、静岡県
2014 年	富岡製糸場と絹産業遺産群	群馬県
2015 年	明治日本の産業革命遺産―製鉄・製鋼、造船、石炭産業	岩手県、静岡県、山口県、福岡県、佐賀県、長崎県、熊本県、鹿児島県
2016 年	国立西洋美術館本館（ル・コルビュジエの建築作品―近代建築運動への顕著な貢献―）	東京都
2017 年	「神宿る島」宗像・沖ノ島と関連遺産群	福岡県
2018 年	長崎と天草地方の潜伏キリシタン関連遺産	長崎県、熊本県
2019 年	百舌鳥・古市古墳群―古代日本の墳墓群―	大阪府
2021 年	北海道・北東北の縄文遺跡群	北海道、青森県、岩手県、秋田県
2024 年	佐渡島の金山	新潟県

keyword

メジャーリーグ

【メジャーリーグの概略】

メジャーリーグ＝MLB（Major League Baseball、1876年開始）

- **2リーグ制：**ナショナル・リーグとアメリカン・リーグで構成。各15球団。両リーグとも東・中・西の3地区に分かれている
- **2024年：**大谷翔平がメジャーリーグ初となる「50－50」を超える54本塁打、59盗塁を達成。打点とホームランでもリーグ二冠。日本選手初のトリプルスリー（打率3割、30本塁打、30盗塁）達成。

リーグ構成

リーグ名	地区	チーム名	
ナショナル・リーグ	東地区	アトランタ・ブレーブス	マイアミ・マーリンズ
		フィラデルフィア・フィリーズ	ワシントン・ナショナルズ
		ニューヨーク・メッツ	
	中地区	シカゴ・カブス	シンシナティ・レッズ
		ピッツバーグ・パイレーツ	セントルイス・カージナルス
		ミルウォーキー・ブリュワーズ	
	西地区	アリゾナ・ダイヤモンドバックス	コロラド・ロッキーズ
		ロサンゼルス・ドジャース	サンディエゴ・パドレス
		サンフランシスコ・ジャイアンツ	
アメリカン・リーグ	東地区	ボルティモア・オリオールズ	ボストン・レッドソックス
		ニューヨーク・ヤンキース	タンパベイ・レイズ
		トロント・ブルージェイズ	
	中地区	シカゴ・ホワイトソックス	クリーブランド・ガーディアンズ
		デトロイト・タイガース	カンザスシティ・ロイヤルズ
		ミネソタ・ツインズ	
	西地区	ヒューストン・アストロズ	ロサンゼルス・エンゼルス
		オークランド・アスレチックス	シアトル・マリナーズ
		テキサス・レンジャーズ	

2023年のゲーム

ゲーム名	解説
MLBオールスターゲーム	第93回としてT-モバイル・パークで開催。ナショナルリーグが勝利を収める。
ワールドチャンピオン	テキサス・レンジャーズが優勝
ナショナル・リーグチャンピオン	アリゾナ・ダイヤモンドバックスが優勝
アメリカン・リーグチャンピオン	テキサス・レンジャーズが優勝

2024年度の日本人MLB選手

人名	所属チーム
大谷翔平	ロサンゼルス・ドジャース
山本由伸	ロサンゼルス・ドジャース
千賀滉大	ニューヨーク・メッツ
藤浪晋太郎	ニューヨーク・メッツ
鈴木誠也	シカゴ・カブス
今永昇太	シカゴ・カブス
ダルビッシュ有	サンディエゴ・パドレス
松井裕樹	サンディエゴ・パドレス
吉田正尚	ボストン・レッドソックス
上沢直之	ボストン・レッドソックス
前田健太	デトロイト・タイガース
菊池雄星	ヒューストン・アストロズ

keyword

日本のサッカーの歴史

日本プロサッカーリーグの歴史

年	出来事	解説
1993 年	J リーグスタート	鹿島アントラーズ、ジェフユナイテッド市原、浦和レッドダイヤモンズ、ヴェルディ川崎、横浜マリノス、横浜フリューゲルス、清水エスパルス、名古屋グランパスエイト、ガンバ大阪、サンフレッチェ広島の 10 クラブで発足
1994 ～ 1998 年	8 クラブ追加	ベルマーレ平塚、ジュビロ磐田、セレッソ大阪、柏レイソル、アビスパ福岡、京都パープルサンガ、ヴィッセル神戸、コンサドーレ札幌が加盟（全 18 クラブ）
1999 年	2 部制導入	J 1 （16 クラブ）、J 2 （10 クラブ）
2004 年	入れ替え戦導入	J 1・J 2 入れ替え戦を導入（2009 年廃止）
2005 年	クラブ数増加	J 1 所属クラブ数が 16 から 18 に増加
2013 年	ライセンス導入	J リーグクラブライセンス制度を導入
2014 年	3 部制導入	2024年時点でJ1・J2・J3の各カテゴリーに20クラブ。J2昇格プレーオフを導入。

FIFAワールドカップの日本の戦績

開催年	結果	詳細
1998 年	グループリーグ敗退	0 勝 3 敗

2002年	ベスト16	グループリーグ2勝1分、 決勝トーナメント初戦敗退
2006年	グループリーグ敗退	2敗1分
2010年	ベスト16	グループリーグ2勝1分、 決勝トーナメント初戦敗退
2014年	グループリーグ敗退	2敗1分
2018年	ベスト16	グループリーグ1勝1敗1分、 決勝トーナメント初戦敗退
2022年	ベスト16	グループリーグ2勝1敗。 ラウンド16でクロアチアにPK戦で敗れる。

FIFA女子ワールドカップの日本の戦績

開催年	結果	詳細
1991年	グループリーグ敗退	グループリーグ0勝3敗
1995年	ベスト8	グループリーグ1勝2敗、 準々決勝敗退
1999年	グループリーグ敗退	2敗1分
2003年	グループリーグ敗退	1勝2敗
2007年	グループリーグ敗退	1勝1敗1分
2011年	優勝	グループリーグ2勝1敗
2015年	準優勝	グループリーグ3勝、 決勝戦アメリカに敗退
2019年	ベスト16	グループリーグ1勝1敗1分、 決勝トーナメント初戦敗退
2023年	ベスト8	グループリーグでは3戦全勝 ラウンド16でノルウェーに勝利、 準々決勝でスウェーデンに敗退

keyword

文学賞① 芥川賞

過去の受賞者

年（期）	開催回	作家	作品
1951年（上期）	25回	安部公房	『壁』
1952年（下期）	28回	松本清張	『或る「小倉日記」伝』
1955年（上期）	33回	遠藤周作	『白い人』
1955年（下期）	34回	石原慎太郎	『太陽の季節』
1958年（上期）	39回	大江健三郎	『飼育』
1960年（上期）	43回	北杜夫	『夜と霧の隅で』
1976年（上期）	75回	村上龍	『限りなく透明に近いブルー』
1990年（下期）	104回	小川洋子	『妊娠カレンダー』
1998年（下期）	120回	平野啓一郎	『日蝕』
2003年（下期）	130回	金原ひとみ	『蛇にピアス』
		綿矢りさ	『蹴りたい背中』
2005年（上期）	133回	中村文則	『土の中の子供』
2008年（上期）	139回	楊逸	『時が滲む朝』
2010年（下期）	144回	朝吹真理子	『きことわ』

2015年（上期）	153回	又吉直樹	『火花』
2016年（上期）	155回	村田沙耶香	『コンビニ人間』

近年の受賞者

年（期）	開催回	作家	作品
2020年（上期）	163回	高山羽根子	『首里の馬』
		遠野遥	『破局』
2020年（下期）	164回	宇佐見りん	『推し、燃ゆ』
2021年（上期）	165回	李琴峰	『彼岸花（ひがんばな）が咲く島』
		石沢麻依	『貝に続く場所にて』
2021年（下期）	166回	砂川文次	『ブラックボックス』
2022年（上期）	167回	高瀬隼子	『おいしいごはんが食べられますように』
2022年（下期）	168回	井戸川射子	『この世の喜びよ』
		佐藤厚志	『荒地の家族』
2023年（上期）	169回	市川沙央	『ハンチバック』
2023年（下期）	170回	九段理江	『東京都同情塔』
2024年（上期）	171回	朝比奈秋	『サンショウウオの四十九日』
		松永K三蔵	『バリ山行』

keyword

文学賞② 直木賞と本屋大賞

直木賞

年（期）	回	作家	作品
1997年（上期）	117回	浅田次郎	『鉄道員（ぽっぽや）』
2004年（下期）	132回	角田光代	『対岸の彼女』
2011年（上期）	145回	池井戸潤	『下町ロケット』
2016年（下期）	156回	恩田陸	『蜜蜂と遠雷』
2021年（下期）	166回	今村翔吾	『塞王（さいおう）の楯（たて）』
		米澤穂信	『黒牢城（こくろうじょう）』
2022年（上期）	167回	窪美澄	『夜に星を放つ』
2022年（下期）	168回	小川哲	『地図と拳』
		千早茜	『しろがねの葉』
2023年（上期）	169回	垣根涼介	『極楽征夷大将軍』
		永井紗耶子	『木挽町のあだ討ち』
2023年（下期）	170回	河﨑秋子	『ともぐい』
		万城目学	『八月の御所グラウンド』
2024年（上期）	171回	一穂ミチ	『ツミデミック』

本屋大賞

年	回	作家	作品
2010年	7回	冲方丁	『天地明察』
2011年	8回	東川篤哉	『謎解きはディナーのあとで』
2012年	9回	三浦しをん	『舟を編む』
2013年	10回	百田尚樹	『海賊とよばれた男』
2014年	11回	和田竜	『村上海賊の娘』
2015年	12回	上橋菜穂子	『鹿の王』
2016年	13回	宮下奈都	『羊と鋼の森』
2017年	14回	恩田陸	『蜜蜂と遠雷』
2018年	15回	辻村深月	『かがみの孤城』
2019年	16回	瀬尾まいこ	『そして、バトンは渡された』
2020年	17回	凪良ゆう	『流浪の月』
2021年	18回	町田そのこ	『52ヘルツのクジラたち』
2022年	19回	逢坂冬馬	『同志少女よ、敵を撃て』
2023年	20回	凪良ゆう	『汝、星のごとく』
2024年	21回	宮島未奈	『成瀬は天下を取りにいく』

keyword

アカデミー賞

アカデミー賞

開催回	作品賞	主演男優賞	主演女優賞
第 12 回	『風と共に去りぬ』	ロバート・ドーナット 『チップス先生さようなら』	ヴィヴィアン・リー 『風と共に去りぬ』
第 32 回	『ベン・ハー』	チャールトン・ヘストン 『ベン・ハー』	シモーヌ・シニョレ 『年上の女』
第 45 回	『ゴッド ファーザー』	マーロン・ブランド（辞退） 『ゴッドファーザー』	ライザ・ミネリ 『キャバレー』
第 49 回	『ロッキー』	ピーター・フィンチ （死後受賞） 『ネットワーク』	フェイ・ダナウェイ 『ネットワーク』
第 60 回	『ラスト エンペラー』	マイケル・ダグラス 『ウォール街』	シェール 『月の輝く夜に』
第 70 回	『タイタニック』	ジャック・ニコルソン 『恋愛小説家』	ヘレン・ハント 『恋愛小説家』
第 91 回	『グリーンブック』	ラミ・マレック 『ボヘミアン・ラプソディ』	オリヴィア・コールマン 『女王陛下のお気に入り』
第 92 回	『パラサイト 半地下の家族』	ホアキン・フェニックス 『ジョーカー』	レネー・ゼルウィガー 『ジュディ 虹の彼方に』
第 94 回	『コーダ あいのうた』	ウィル・スミス 『ドリームプラン』	ジェシカ・チャステイン 『タミー・フェイの瞳』
第 95 回	『エブリシング・ エブリウェア・オール・ アット・ワンス』	ブレンダン・フレイザー 『ザ・ホエール』	ミシェル・ヨー 『エブリシング・エブリウェア・ オール・アット・ワンス』
第 96 回	『オッペン ハイマー』	キリアン・マーフィー 『オッペンハイマー』	エマ・ストーン 『哀れなるものたち』

日本アカデミー賞

開催回	最優秀作品賞	最優秀主演男優賞	最優秀主演女優賞
第1回	『幸福の黄色いハンカチ』	高倉健 『幸福の黄色いハンカチ』	岩下志麻 『はなれ瞽女おりん』
第6回	『蒲田行進曲』	平田満 『蒲田行進曲』	松坂慶子 『蒲田行進曲』『道頓堀川』
第20回	『Shall we ダンス?』	役所広司 『Shall we ダンス?』	草刈民代 『Shall we ダンス?』
第29回	『ALWAYS 三丁目の夕日』	吉岡秀隆 『ALWAYS 三丁目の夕日』	吉永小百合 『北の零年』
第32回	『おくりびと』	本木雅弘 『おくりびと』	木村多江 『ぐるりのこと。』
第34回	『告白』	妻夫木聡 『悪人』	深津絵里 『悪人』
第38回	『永遠の0』	岡田准一 『永遠の0』	宮沢りえ 『紙の月』
第40回	『シン・ゴジラ』	佐藤浩市 『64 ―ロクヨン― 前編』	宮沢りえ 『湯を沸かすほどの熱い愛』
第41回	『三度目の殺人』	菅田将暉 『あゝ、荒野 前篇』	蒼井優 『彼女がその名を知らない鳥たち』
第42回	『万引き家族』	役所広司 『孤狼の血』	安藤サクラ 『万引き家族』
第43回	『新聞記者』	松坂桃李 『新聞記者』	シム・ウンギョン 『新聞記者』
第44回	『ミッドナイトスワン』	草彅剛 『ミッドナイトスワン』	長澤まさみ 『MOTHER マザー』
第45回	『ドライブ・マイ・カー』	西島秀俊 『ドライブ・マイ・カー』	有村架純 『花束みたいな恋をした』
第46回	『ある男』	妻夫木聡 『ある男』	岸井ゆきの 『ケイコ 目を澄ませて』
第47回	『ゴジラ -1.0』	役所広司 『PERFECT DAYS』	安藤サクラ 『怪物』

keyword

グラミー賞

グラミー賞

年	歴代の最優秀アルバム賞	
1967年	『ア・マン・アンド・ヒズミュージック』	フランク・シナトラ
1968年	『サージェント・ペパーズ・ロンリー・ハーツ・クラブ・バンド』	ビートルズ
1969年	『恋はフェニックス』	グレン・キャンベル
1970年	『血と汗と涙』	ブラッド・スウェット・アンド・ティアーズ
1971年	『明日に架ける橋』	サイモン＆ガーファンクル
1972年	『つづれおり』	キャロル・キング
1973年	『バングラデシュ・コンサート』	ジョージ・ハリスンほか
1974年	『インナーヴィジョンズ』	スティーヴィー・ワンダー
1975年	『ファースト・フィナーレ』	スティーヴィー・ワンダー
1976年	『時の流れに』	ポール・サイモン
1977年	『キー・オブ・ライフ』	スティーヴィー・ワンダー
1978年	『噂』	フリートウッド・マック
1979年	『サタデー・ナイト・フィーバー』	ビージーズほか
1980年	『ニューヨーク 52 番街』	ビリー・ジョエル
1981年	『南から来た男』	クリストファー・クロス
1982年	『ダブル・ファンタジー』	ジョン・レノン＆オノ・ヨーコ
1983年	『聖なる剣』	TOTO
1984年	『スリラー』	マイケル・ジャクソン
1985年	『オール・ナイト・ロング』	ライオネル・リッチー
1986年	『フィル・コリンズIII』	フィル・コリンズ
1987年	『グレイスランド』	ポール・サイモン
1988年	『ヨシュア・トゥリー』	U2
1989年	『フェイス』	ジョージ・マイケル
1990年	『ニック・オブ・タイム』	ボニー・レイット
1993年	『アンプラグド』	エリック・クラプトン

1994年	『映画「ボディガード」 オリジナル・サウンド・トラック』	ホイットニー・ヒューストン
1995年	『MTVアンプラグド』	トニー・ベネット
1996年	『ジャギド・リトル・ピル』	アラニス・モリセット
1997年	『フォーリン・イントゥ・ユー』	セリーヌ・ディオン
1998年	『タイム・アウト・オブ・マインド』	ボブ・ディラン
1999年	『ミスエデュケーション』	ローリン・ヒル
2000年	『スーパーナチュラル』	サンタナ
2001年	『トゥ・アゲインスト・ネイチャー』	スティーリー・ダン
2002年	『映画「オー・ブラザー！」 オリジナル・サウンド・トラック』	T・ボーン・バーネット（プロデューサー）
2003年	『カム・アウェイ・ウィズ・ミー』	ノラ・ジョーンズ
2004年	『スピーカーボックス／ザ・ラブ・ビロウ』	アウトキャスト
2005年	『ジーニアス・ラブ～永遠の愛』	レイ・チャールズほか
2006年	『原子爆弾解体新書～ハウ・トゥ・ ディスマントル・アン・アトミック・ボム』	U2
2007年	『テイキング・ザ・ロングウェイ』	ディクシー・チックス
2008年	『リヴァー～ジョニ・ミッチェルへのオマージュ』	ハービー・ハンコック
2009年	『レイジング・サンド』	ロバート・プラント&アリソン・クラウス
2010年	『フィアレス』	テイラー・スウィフト
2011年	『ザ・サバーブス』	アーケード・ファイア
2012年	『21』	アデル
2013年	『バベル』	マムフォード・アンド・サンズ
2014年	『ランダム・アクセス・メモリーズ』	ダフト・パンク
2015年	『モーニング・フェイズ』	ベック
2016年	『1989』	テイラー・スウィフト
2017年	『25』	アデル
2018年	『24Kマジック』	ブルーノ・マーズ
2019年	『ゴールデン・アワー』	ケイシー・マスグレイヴス
2020年	『ウェン・ウィ・オール・フォール・アスリープ、 ウェア・ドゥ・ウィ・ゴー？』	ビリー・アイリッシュ
2021年	『フォークロア』	テイラー・スウィフト
2022年	『ウィ・アー』	ジョン・バティステ
2023年	『ハリーズ・ハウス』	ハリー・スタイルズ
2024年	『ミッドナイツ』	テイラー・スウィフト

MEMO